台湾の本音

〝隣国〟を基礎から理解する

野嶋 剛

光文社新書

まえがき

台湾の面白さは何ですか？

そんな質問をよく受けます。台湾問題が国際的な関心事となり、日本でも「台湾有事は日本有事」と言われるようになったここ3、4年は特にです。

私の答えは「台湾は難しいから」。難しいことが、たまらなく面白いのです。

パズルでもゲームでも、あっさり攻略できてしまうような簡単なものが面白いかといえば、そうではないでしょう。難しいから熱中できる。台湾はそんな存在なのです。

私が台湾に関わり始めてから20年になりました。その間、10冊以上の本を書きました。しかし、台湾はいまでも分からないことが多い。分かったつもりでいても、どんどんと局面がアップデートされ、新しい勉強が必要になります。たどり着いた、という感覚はまったく持てない。まだまだ台湾を知り尽くしていない。それが私の知的好奇心をますます掻き立てるというサイクルになっています。

台湾については、概説書で『台湾とは何か』(ちくま新書)という本を書いたことがあります。2016年に出版され、いまも版を重ねています。しかし、それから7年が経ち、台湾にもいろいろな変化が起きました。そして、それよりも大きかったのは中国が変わったことです。習近平国家主席の絶対権力化が進み、中国がかつて期待されたような「開かれて、自由で、民主的な国」へ変わっていくことはほぼ絶望的になりました。豊かにはなったものの、隣国として安心して付き合える国ではなくなってしまった。アメリカは、中国への「コミットメント(関与)」を掲げ、ある意味で日本以上に中国との付き合いに前のめりでしたが、今や中国を戦略的競争相手とみなし、経済デカップリングを仕掛けています。そんな新冷戦とも呼ばれる米中の対立関係が鮮明になりました。

ある意味で、最も大きな衝撃を受けたのは台湾だったでしょう。中国からの政治的・軍事的圧力と、アメリカからの政治的・軍事的関与が台湾に同時に注がれたのです。その最たるものが、2022年8月のナンシー・ペロシ下院議長(当時)の訪台とそれに対する中国の軍事演習でした。台湾の人々は自分たちがまさに「地政学」と「米中」の最前線に置かれていることを認識したのではないでしょうか。この軍事演習では中国のミサイルが日本の排他的経済水域内に撃ち込まれました。「台湾有事は日本有事」というキーワードとともに、誰の心にも、日本が台湾と中国との戦争に巻き込まれるリスク認識が刻まれたはずです。

半導体も同様で、ＴＳＭＣ（台湾積体電路製造）という企業の名前を、５年前まで日本では知る人がほとんどいませんでした。ところが、いまではメディアですっかりお馴染みの名前となり、台湾が世界の６割の半導体を生産するようになっています。いつのまにそんな力をつけたんだ、という感じです。半導体がすごいとは知っていましたが、これほどとは。いつも台湾は私たちの想像の斜め上をいってくれます。ありがたいやら、迷惑やら。

何が言いたかったかというと、この７年で台湾については新しい情報をたくさんインプットする必要が生じたということです。

さらに難しくなった台湾をどう紐解くか。私たちに今求められている喫緊の課題であり、その課題への「解」をできる限り分かりやすく一冊の本で示したい。そんな思いから、本書では読者の皆さんに語りかけるように、台湾のことをお伝えしたいと思います。

台湾の本音

目次

第2章 台湾の「歴史」はいつから始まるか——51

第3章 台湾の人々は「中国」をどう考えているのか

第4章 「台湾アイデンティティ」はなぜ生まれたのか——97

第5章 台湾は「親日」と言っていいのか

本文構成／一角二朗
目次・章扉作成／熊谷智子
本文図表作成／デザイン・プレイス・デマンド

台湾は「国」なのか

1　なぜ日本人は台湾を国だと思わないのか

日本人の大きな誤解

私は長く新聞社に勤務し、台北（タイペイ）支局長などを務めてきました。近年では台湾への旅行者や留学生も増えるなど、日本における台湾への興味の高まりを感じ取っています。

新聞社から独立後にジャーナリスト活動を始めた私のもとに、講演やテレビなどで台湾に関する話を聞かせてほしい、というお誘いも多くなりました。台湾について話ができる絶対的な人数の少なさも関係しているのかもしれません。日本と台湾が国交を断絶した1972年以降、マスコミを中心に台湾に関する情報は大変限定的で、専門的な書籍に頼るところが大きかったのです。『台湾とは何か』を上梓して以来、台湾への入門書として重宝してくださる人が多かったのも、そういったところに要因があるのだろうと思います。日本では台湾に対する世の中の関心に対して、情報不足の状態にあったわけです。

そこで私は、より多くの日本人が台湾を正しく理解してもらえたらいいなと、時には自分の体験も含めて、できる限りお話しするよう努めてきました。そうした対話のなかで、皆さんから疑問を投げかけられることもたびたびあります。本書では、そういった台湾に対する疑問に対して、分かりやすくお話ししていきたいと考えています。

さて――私が台湾の話をするときに、必ず最初に私からもある意味で素朴な１つの質問を投げかけることにしています。

「台湾は国なのでしょうか？」

……はい。皆さんの答えはいかがでしょうか？　私がこの問いを投げかけると、かなりの方から「国ではないと思う」という答えが返ってきます。なぜ台湾を「国ではない」と思うのでしょうか？　ここに日本が持つ、台湾への非常に大きな誤解があると私は考えています。

足りないのは国際承認

そもそも、「国であるための条件」とは何でしょうか？

国家の要件を明文化したものとしては、１９３３年に締結された「国家の権利及び義務に関する条約（モンテビデオ議定書）」が挙げられます。条約には、国家の資格として大きく４つの点が挙げられています。

①領土
②国民
③政府
④国際承認

では、台湾をこの定義に照らし合わせてみましょう。

①台湾島を中心とした領土を持つ
②約2360万人の国民を有する
③中華民国政府という体制がある

このようになりますね。さらに台湾には自国の通貨もあれば、軍隊も持ち、国境管理も行っています。外から見ればどう見ても国家です。「台湾は国なのでしょうか?」という同じ質問を台湾の人たちにしたら、ほぼ100%「国です」という答えが返ってくるでしょう。

ただ、ここで問題となるのが最後の要件、④の国際承認です。台湾は、国際連合に加盟していません。また国交を結んでいるのは13カ国（2023年11月時点）であり、もちろん日本も正式な国交は結んでいません（非公式な交流窓口はあります）。

以前は、台湾は日本とも国交を結んでいましたし、国際承認も受けていました。しかし、この事実はほとんど忘れられています。歴史についてはあらためて詳しく説明しますが、1971年に中華人民共和国（中国）が国連へ加盟するのと同時に、台湾は常任理事国だった国連を脱退しています。さらに翌1972年には、日本の田中角栄首相（当時）が中国を訪問し、日中共同声明を発表して国交正常化を果たしますが、同時にそれまで国交を結んでいた台湾と断交することになりました。

中華民国には、蔣介石（しょうかいせき）率いる国民党が国共内戦で共産党に敗れ、台北に逃れた歴史があります。よって、台湾は中国を自分たちの領土だと考えていました。反対に中国は、台湾は中国の一部であると公言しており、日本を含めた国際社会に対しても強く主張しています。

そのため、日本では中国との国交正常化および台湾との断交以降、50年以上にわたって「台湾政府」「台湾という国家」などの表現を政府やメディアが回避する措置を続けてきました。結果、「台湾は国ではない」という認識につながったのではないかと思われます。

「国ではない」と言えるか

こういったことを踏まえて、私からもう一つ質問をすることにしましょう。

「では、国際連合加入前、日本との国交正常化前、中国は国ではなかったのですか?」

そんなことはありませんよね? 中華人民共和国は、当時から国として認識されていたはずです。逆に「国交があったころまでは、台湾は国家でした」なんてことも言えないと思います。最近ではイスラム勢力ハマスのイスラエル攻撃で注目されたパレスチナも、国連加盟は果たしていないものの、国際承認は100カ国以上から受けています。しかし、パレスチナ国とは表記されず、自治政府と書かれていますね。「国家」であるかないかという問題は、かくも難解なパズルなのです。

客観的に見れば、中国も台湾も国家です。けれど、日本では1972年を境に、台湾に対する国家の認識が切り替わってしまった。レコードのA面・B面のように——という喩(たと)えは若い人には通じないかもしれませんが、よくよく考えると不思議な話だと思いませんか?

考えてもみてください。皆さんが台湾へ旅行してパスポートに押されるスタンプは「中華民国」のものです。「台湾は国ではない」と思う人は、この事実をどう考えるのでしょうか?

台湾へ行って「台湾の皆さん、こんにちは。あなた方の台湾は国ではないけれど、われわれは楽しく交流したいと思います！」などということを、胸を張って言えるでしょうか？つまり、国家による外交承認と、私たち個人個人の考え方が、十分に切り離されていないという現状がある。これが最初に横たわる、大事な問題なのだと思います。

私たちは別に日本政府の方針のすべてに従っているわけではありません。たとえば日本政府の外交方針で日米安全保障条約を結んでいますが、賛成しない考えの人もいるでしょう。しかし、そのことで犯罪者として扱われ、逮捕されるかというと、そんなことはありません。日本国憲法によって保障された、「思想の自由」という権利があるからです。

ですから、一個人として「台湾は国である」と言っても何の問題もありません。逆も然りです。しかし、中国政府の強い要求の下、日本では台湾を国家として語ることさえ憚（はばか）られる空気ができてしまったのです。「台湾を国と言ったらややこしいことになる」という恐怖感や、「日本政府が国家として承認していないから」という決めつけも含めて。

これはある種の洗脳に近いことだと、私は考えています。

2 台湾なのか、中華民国なのか

地域の名は台湾、国の名は中華民国

さて、読者の皆さんのなかには、ここまでの記述に疑問を持たれた方がいるかもしれません。「台湾といったり、中華民国といったり、いったい本当はどっちなの？」と。そのあたりのことについてもお話ししていきましょう。

台湾の詳しい歴史についてはのちの章で解説しますが、中華民国は民族主義（民族独立）、民権主義、民生主義という三民主義を唱えた反清朝勢力が辛亥（しんがい）革命を起こし、翌年の1月1日に孫文を臨時大統領にした臨時政府から始まりました。孫文は1919年に中国国民党を設立します。清朝に続く正統政権として、その後は蔣介石がリーダーとなって中華民国を統治していきました。1945年に第二次世界大戦が終結すると、日本がそれまで統治していた台湾は連合軍の一員として中華民国が「接収」します。

しかし、その後に起こった中国共産党との国共内戦で、蔣介石を中心とした中華民国の国民政府――中国国民党は、1949年に台湾へ逃れました。一方、大陸に残った中国共産党

は、中華人民共和国を設立します。この国共内戦は、まだ終結したわけではありません。中国は台湾も自分たちの国の一部であると主張していますし、逆に中華民国も、自分たちが中国大陸も支配することができる政権であると憲法で位置づけています。

つまり台湾海峡を挟んで、中華人民共和国という政治実体と、中華民国という政治実体が、現在もなお戦っている、という構図が残っているのです。台湾問題について中国や台湾で「両岸問題」と呼ぶのはこのためです。つまりは「未完の内戦」。この構図をまず知っておかないと、台湾問題はなかなかうまく理解ができないことになります。

私がメディアの世界に入って国際情勢を担当する、いわゆる「外信記者」になったとき、ベテランの上司から言われた言葉、「野嶋、覚えておけよ、国際報道ってのは、歴史と地理を頭に入れてなんぼなんだ」が思い出されます。

台湾問題は、まさに歴史と地理の勉強から始まるのです。できれば、この本を読むときは、台湾が入った中国の地図を広げながら見てほしいところです。

中華民国と台湾の同化

１９４７年、中華民国は中国大陸にあるほかの省と同じように、台湾島および澎湖(ほうこ)諸島、馬祖(ばそ)列島、そして金門島を自治する台湾省政府を置きました。

中華民国の国民政府は、その台湾省に逃れてきたわけです。もちろん国民政府は、いずれ中国大陸を共産党から奪還することを目指していました。ですからあくまでも大陸を含めた「省」の一つという位置づけです。まあ短期的な「仮寓(かぐう)」みたいなものです。

ところが、大陸反攻がうまくいかず、台湾での時間が経過していくうちに、大陸とは縁のない世代がどんどん増えていきました。すると、「自分たちが中国大陸を統治する」ために、命をかけて攻め込むという気持ちは薄れ、中華民国体制は空洞化していったのです。

こうして中華民国は、中華民国でありながら、限りなく台湾と一体になっていったのです。これを中華民国台湾化と呼びます。この中華民国台湾化という概念について、日本では政治学者の若林正丈さんが詳しく論じているので、興味を持たれた方は『台湾の政治 増補新装版――中華民国台湾化の戦後史』という著作をぜひ読んでみてください。

現在の台湾社会では、中華民国と台湾という本来は別々の概念が、一つに融合しつつあります。台湾の人々は、オリンピックでも自国の選手団を台湾選手団と呼ばれて喜びますし、「台湾加油(タイワンジャーヨー)!(台湾、がんばれ!)」と言って応援しますが、手に持っているのは中華民国の国旗です。一般国民に限ったことではありません。正式には「中華民国総統」の蔡英文(さいえいぶん)(2

０２３年11月時点）も、自らを「台湾総統」と呼ぶこともあります。もはや現在の台湾では、「中華民国＝台湾」という概念が慣習化してきているといっていいでしょう。この中華民国＝台湾のプロセスは、いまもなお進行しているのです。蔡英文総統は「中華民国台湾」と自分たちの国のことを呼んでいます。

３　台湾民主化のプロセス

台湾の「首都」はどこ？

次に、台湾の「領土」についてお話ししていきましょう。といっても、これも厄介な問題になるのですが。

中華民国の憲法において、彼らは中国全体を統治する資格があるとしていることから、領土は中国大陸を含めたものになってしまいます。一方、実態としては、台湾島と澎湖（ほうこ）諸島を包括した台湾省と、福建省である金門島・馬祖島という、現在台湾が実効支配している地域が、台湾の統治範囲＝領土といえるでしょう。よって人口はその地域に住む約２３６０万人である、ということになります（図表1）。

さて、ここで私から皆さんにまたまた質問をしたいと思います。

「台湾の首都はどこですか？」

……はい。答えは出たでしょうか。正解は「ない」でした。

「え？　台北じゃないの？」と言われる方も多いでしょう。残念ながら不正解です。それはなぜか？　台湾は中華民国が大陸から逃げてきているという歴史を考えると、中華民国にとっての法的な首都ははっきりせず、台北はあくまで臨時的な首都なんですね。臨時首都ともいっていません。台北は、強いていうなら、「現在の中心都市」というようになります。

これまた、分かりにくいですよね。台湾においては一時が万事こんな感じで、明確な正解がないのです。これも台湾の厄介な点でもありますが、ただ台湾好きにはこうした特殊さがたまらないポイントです。私は、台湾好きはある種のマゾ的な精神構造があると思っています。難しい課題を突きつけられて、それを解いていく楽しさとでもいいましょうか。

ところで、先ほどもお話しした通り、中華民国において、そもそも台湾は「台湾省」と捉えられていました。その台湾省の省都は台湾中部の南投県にありました。そこには台湾省政府ビルがあり、省政府の主席もいて、省としての予算も立てられていました。

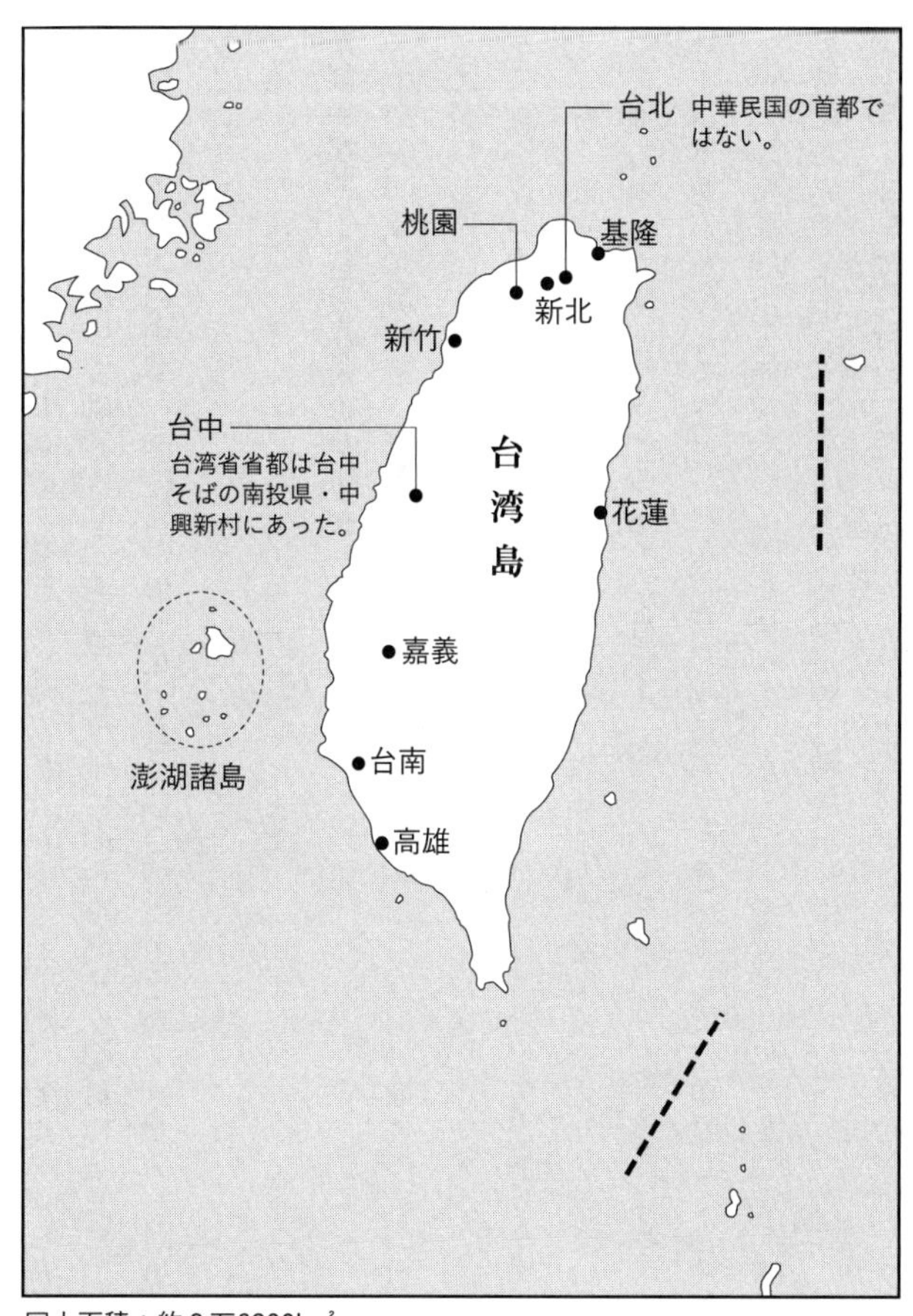

国土面積：約３万6200㎢
人　　口：約2360万人（2023年11月時点）

図表１　台湾の地理と基本情報

しかし、2018年に政務、組織が中央政府に移行され、台湾省は事実上廃止となりました。でも台湾の街中では時々「台湾省ナンバー」の車やバイクを目にします。この台湾省の問題も、先ほどの中華民国体制の形骸化、および台湾民主化のプロセスと同じ流れのなかにあるのです。

蔣経国が敷いた民主化へのレール

中華民国政府が台湾へ来たとき、台湾の民衆を抑圧して、世界最長の戒厳令を敷きました。この戒厳令時代すべてを暗黒時代だと捉えることが日本では多いのですが、台湾社会では若干認識が違います。少なくとも戒厳令期後半に関しては違った見方があります。

1975年、蔣介石が亡くなります。その数年前から身体に衰えを見せていた父に代わって、国の中心人物となっていたのが息子の蔣経国(しょうけいこく)です。蔣介石は大陸反攻のために国家予算を軍事費に費やしてきましたが、蔣経国は考えが違いました。俯瞰(ふかん)して台湾の状況を判断し、大陸反攻は不可能であることを悟っていました。そして、自分たちが生きる台湾という場所において、生活基盤を向上させるために動き出します。

1973年には行政院長(首相)として十大建設と呼ばれる国家を挙げたプロジェクトを

立ち上げ、１９７８年に総統になると、さらにインフラ整備を推進していきます。これにより石油プラントなどの重化学産業や、電子機器などのハイテク産業が成長し、１９６０年代から成長を見せていた経済がさらに発展。これは「アジアの奇跡」と称され、また韓国・香港・シンガポールとともに「アジアの四小龍」と呼ばれるまでになりました。

蔣経国は、経済政策などと並行して少しずつ民主化への下準備も行っていきます。台湾が発展していくために避けては通れない道であると考えたのです。政党の結成が禁止されていた台湾でしたが、１９８６年には初めての野党・民主進歩党、いわゆる民進党が結成されます。蔣経国としてはこの結党を正式に認めたわけではありませんでしたが、弾圧によってあからさまに咎(とが)めることはしませんでした。

さらに、１９８７年7月15日には38年にわたる戒厳令を解除しました。このころ、蔣経国はこんな発言をしたといわれています。

「台湾に住んで40年、私はもう台湾人です」

台湾では、大陸からやってきた人を外省人、台湾で生まれ育った人を本省人と呼びます。蔣介石は、大陸から台湾に渡ってきた自分のことを中国人だと考え、中華民国は中国の政府だと信じていました。ですから当然、国民党は外省人が取りしきっていました。

ですが、中国本土と切り離された状態が少なくとも1949年から続いてくると、台湾の人たちは「自分たちは台湾で生まれ、台湾で生きていく人間なのだ」という、台湾アイデンティティが次第に湧き上がってくるわけです。こうした国民感情が年を追うごとに強まっていくなかで、蔣経国の認識はある部分で、大陸から渡ってきた外省人の本音を表したものでもあります。

1988年、蔣経国は糖尿病の悪化で突然亡くなります。明確な後継者を指名していませんでしたが、制度的に副総統の李登輝（りとうき）が代理総統となります。李登輝は蔣経国の跡を継いで民主化をさらに先へ進めました。1991年に民主化を決定的とする憲法改正を行い、1996年には初めての直接総統選挙を挙行するに至ります。

李登輝は台湾出身の本省人です。李登輝を副総統にしていた時点で、蔣経国の腹のなかで、民主化や台湾化を進めていくしかない方針は決まっていたのでしょう。そうした決断は、むしろ独裁者の蔣経国でなければできないことでした。李登輝は今でこそ絶対的指導者のイメージがありますが、それは1996年に直接選挙で総統に当選してからのことで、それまでは党内基盤が弱く、有能だけれどもおとなしい人物と思われていました。

4　台湾ではなぜ政権交代が起こるのか

熱気あふれる「まつりごと」

ちょうど選挙の話が出たので、台湾の選挙システムについてもお話ししましょう。

先に触れた通り、李登輝が総統になると、憲法改正による政治の民主化が進み、1994年には総統を4年ごとに国民の直接選挙で選ぶことが決まり、1996年から新しい総統選挙が実施され、現在に至っています。2012年からは日本の国会議員にあたる立法委員選挙も同時に行われています。こちらも任期は4年です。ちなみに、総統・立法委員選挙とも、当初は小さな政党も活躍していましたが、2008年に小選挙区制の選挙になってからは、国民党・民進党の二大政党制の色合いが強まりました（図表2）。

その総統選挙の中間に、日本でもニュースで取り上げられた統一地方選挙が行われます。こちらも4年に1回です。市町村の首長から地方議員がこの選挙で選ばれます。統一地方選挙は、2年後の総統・立法委員選挙の行方を占う前哨戦（ぜんしょうせん）の意味もあります。ただ、統一地方選挙で勝利した政党が総統選・立法委員選で勝てるかというと、そうではないところも面

政党名	中国国民党（国民党）	民主進歩党（民進党）
結成年	1919年	1986年
概要	孫文による中華革命党が源流。国共内戦で敗れた蔣介石による独裁政権が続くも、息子・蔣経国、その跡を継いだ李登輝により経済の自由化・民主化が行われ、1990年代には今の台湾の形がほぼ完成した。	国民党の反対勢力によって結成。徐々に勢力を拡大し、2000年の総統選挙で陳水扁が当選。とくに1990年代から脱原発、人権啓発などリベラルな政策を強く標榜している。
対中関係	基本的に台湾独立には反対。対中融和の方針を明らかにする。	台湾と中国は互いに隷属せず、中国の「一国二制度」には与しないとの態度を示す。安定的な「現状維持」路線を敷く。
経済政策	馬英九政権時のように中国との交流強化を行い、中国市場を活かしてさらなる経済成長を志向する。規制緩和による台湾への投資、人材流入を目標とする。	ITを含めた産業の生産力向上で雇用の増加を行い、富の合理的な分配も望める持続可能な経済発展モデル作りを提示。FTAなど西側との自由貿易協定締結の実現を目指す。

図表2　台湾の２大政党の特徴

白いところです。

統一地方選挙では里長、日本でいえば町内会長のようなポストも選ばれます。台湾では、多くの政治家が里長、市議会議員、立法委員すなわち国会議員とステップアップしていきます。日本のような世襲議員は非常に少なく、２０２２年の台北市長選挙で蔣介石のひ孫・蔣万安（しょうばんあん）が当選したのは大変なレアケースといえるでしょう。

台湾と日本の政治でどこが違うのかと聞かれたとき、私は「世襲」の多さを挙げることにしています。

民主主義において、有権者が一票を投じるとき、何を基準に政治家を選ぶのか。極めて重要なテーマで明確な回答があるわけではないですが、台湾では疑いなく、学位・学歴が一つの政治家のステータスと目される要素があります。

歴代総統を見てみても、李登輝総統は京都帝国大学農学部中退で、陳水扁（ちんすいへん）総統、馬英九（ばえいきゅう）総統、蔡英文総統の３人はすべて最高学府の台湾大学法学部の卒業です。李登輝総統は農学博士、馬英九総統は法学博士、蔡英文総統も法学博士を取得しており、超がつく高学歴です。

台湾メディアによれば、台湾の立法委員１１３人のうち、95％以上が大学以上の学歴を有しており、修士号取得者は53％、博士号取得者は20％に達しているといいます。

ひるがえって日本は博士号を持っている国会議員は極めて少ないというのが現実ではないでしょうか。学歴のかわりに、日本の政治家にとって錦の御旗となるのが「家柄」です。

日本では現在、3人に1人が世襲議員であるとされています。自民党に至っては4割だそうです。若手・中堅のホープでも、河野太郎デジタル相は父親が河野洋平元外相、小泉進次郎元環境相も小泉純一郎元首相が父親で、殺害された安倍晋三元首相も岸信介元首相から続く三代の政治家です。

台湾での統計はありませんが、実感として世襲議員は非常に少ないです。民主化後の歴代総統も親が政治家という人物は一人もいません。台湾で選挙がある前に次々と学歴不正が発覚して問題化するのは、不正を働いてまで、無理に苦労して論文を書いて学位を取得しようというモチベーションが働くからです。逆に、日本では学歴不正問題は台湾よりはるかに目立ちません。

台湾では、世襲議員が少ないことは、その歴史とも関係しています。台湾では民主化してからの歴史が浅いので、家柄以外で自分の魅力を打出すには学歴がベストなのです。筆者の台湾の立法委員の知人は、こう語ります。

「修士号や博士号がなければ当選しないわけではない。しかし、ないよりはあったほうがいい。名刺に入れられる肩書きも増える。選挙となれば数百票単位の争いになる可能性があり、少しでもプラスの材料になるものが欲しい」

台湾の政治家は、昼夜を問わず会合に顔を出し、いつもＳＮＳをこまめに発信して、支持者やファンからの書き込みにもまめに答えています。学歴も含めて、それだけ選挙が厳しいことの裏返し、ということがいえるでしょう。

ともあれ、統一地方選挙と、総統・立法委員選挙が台湾の主要選挙となります。

台湾の選挙の特長は、非常に熱気があって投票率が高いことです。実際、２０２２年の地方選挙でも66％、２０２０年の総統選挙では75％。過去には80％だったこともありました。もちろん、選挙の数ヶ月前からメディアも選挙報道一色になります。

日本の選挙制度と大きく違うのは、在外投票もできず、期日前投票もできないところです。自分の生まれた場所、戸籍がある場所でしか投票できないんですね。ですから、選挙の時期には、いわば民族大移動のような状況になります。日本や海外から、投票のために帰国する人もたくさんいます。総統選のときなど、投票日前日の台湾行きのフライトは、選挙のためだけに帰国する台湾人たちで予約がいっぱいになります。

私も台湾の人たちと長く仕事をしていますが、選挙前の１ヶ月はほとんど仕事の話ができません。なにせ、街中を候補者が歩いていて、道路ごとに選挙事務所があるくらいの勢いですから、多くのビジネスもストップしてしまう一大イベントなんです。

よく政治のことを「まつりごと」といいますが、まさに台湾は、この選挙の時期に台湾全土を巻き込んだお祭り騒ぎともいうべき状況になるのです。低い投票率が続く日本の選挙が欠いているのはこのお祭り感覚かもしれませんね。

頻繁に政権交代が起こる理由

台湾は民主化以降の選挙で、二大政党——国民党と民進党の間で、頻繁に政権交代が起こるようになります（図表3）。

民主化していくなかで、当然人々は自分の素直な考え方に基づいて生きていくようになります。そして「台湾は台湾だ」という台湾アイデンティティを前面に押し出した民進党にシンパシーを持つ人たちが多くなり、勢力を拡大していきました。

一方、国民党はもともと反共産党を掲げていましたが、2000年代に入ってから世界の経済大国として台頭していた中国と親しい関係を築いていきます。野党に転落していた国民党は2005年に、長く争ってきた中国共産党との間で「国共和解」に踏み切ります。

期	政党	就任年	総統	各期の出来事
1	国民党	1948	蔣介石	国共内戦の悪化により辞任。
		1949	李宗仁	総統代行。戒厳令施行。
		1949	閻錫山	アメリカへ亡命した李宗仁の代行。
		1950	蔣介石	総統に復任。対日講和条約（1951）、日華平和条約（1952）締結。
2		1954		第一次および第二次台湾海峡危機。
3		1960		経済の高度成長。
4		1966		国際連合を脱退（1971）。
5		1972		行政院長に就任した蔣経国が、十大建設等のインフラ整備を開始。
		1975	厳家淦	蔣介石死去のため昇格。実権は蔣経国に。
6		1978	蔣経国	米華断交（1979）。さらなるインフラ整備と経済自由化施策。
7		1984		民進党の結成（1986）。民主化施策の加速、戒厳令解除（1987）。
		1988	李登輝	蔣経国死去のため昇格。
8		1990		次期総統選挙を直接選挙化。第三次台湾海峡危機勃発（1995）。
9		1996		直接選挙による初当選。
10	民進党	2000	陳水扁	世界貿易機関加入（2002）。SARSが猛威を振るう（2003）。
11		2004		台湾高速鉄道開通（2007）。
12	国民党	2008	馬英九	中国と両岸経済協力枠組協議を締結（2010）。
13		2012		両岸サービス貿易協定がきっかけでひまわり学生運動（2014）。
14	民進党	2016	蔡英文	脱原発法成立（2017）、アジア初の同性婚合法化（2019）。
15		2020		香港デモ（2019）に関心集まる。

図表3　中華民国憲法施行後の総統一覧

そして、2008年の総統選挙では陳水扁政権が汚職問題でイメージダウンしていたことも追い風になり、国民党の馬英九が当選して政権を奪取します。馬英九政権下において、中国と台湾の関係はグッと近づいていきます。経済成長を遂げた中国とうまく付き合っていくべきだ、という国民党の主張が共感を得たところもありました。ただ、そのスピードが少々急すぎてしまったようです。中国との中台サービス貿易協定の国会承認をめぐって、手続きに不満を持った若者たちが抗議の声を上げたのです。

これが2014年に起こった「ひまわり学生運動」です。この運動によってレームダック（死に体）化した馬英九は、2016年の総統選挙で民進党の蔡英文に敗れることになりました。

このように、中国との関係性をめぐる考え方の違いが、それぞれの時代のバランス感覚によって、政権交代をもたらしているといえるでしょう。

そしてやはり台湾と中国の経済関係は太いものがある。反中国の立場をとる民進党の政権が続くと、中国は圧力をかけてくるため、情勢が不安定になって、商売がしにくくなってしまいますよね。そうなると、国民党を選択するビジネス界の人たちは多くなります。こうした理由も、国民党が選挙で生き残る要因となっています。

ちなみに、選挙戦略という面だけで見ると、やはり国民党のほうに一日の長を感じます。国民党は民進党に比べて、組織がしっかりした選挙を行います。地方にはとくに人脈の広い大物と呼ばれる人材を有していて、しっかりと議席を稼いでいます。

民進党は歴史が浅いぶん、地方組織がまだまだ十分に育ち切っていない部分もあり、政党としての成熟度が足りない。いわば、したたかさが足りないのですね。日本では、民進党の人気が高いため、どうして台湾の人たちが国民党に投票するのか十分に理解されないところがありますが、台湾に暮らしてみると、国民党の「一日の長」がなお役立っていることを実感します。

ただ、国民党のイメージはどうしても良くない部分がある。「中国のエージェント」のように思われがちなのです。そこで地方選挙では、国民党の候補者は「台湾を守る。中華民国は崩さない。中国には統一されない」と表明する。この主張は民進党政権のそれと大差ありません。そして、自分たちが国民党の候補であることをはっきりとは言わないんですね。地方に根ざした政治家は人物本位で投票してもらえれば負けない、と考えているわけです。

選挙で変わるという雰囲気

台湾はまだ若い民主主義の国です。ですから、選挙を通して自分たちの未来を選んでいくという、民主主義に対する期待度が高いのだと思います。過去、選挙によって、その期待を裏切らない結果が良くも悪くも出ているのが、その証拠です。

これまで述べてきた通り、民進党と国民党は政治方針がかなり異なります。ですから選挙民たちは、もし自分たちが支持しない政党が政権を握ったら、世の中がガラッと変わってしまうどころか、台湾にとって破滅が待っているのではないか、とまで心配する。それは、選挙によって世の中が変わるということを体感しているからにほかなりません。選挙とは本来こうして真剣に候補者を一人一人選んでいくのだな、台湾において民主主義が健全に機能しているのだなと、強く実感できます。

もちろん、台湾の特殊な事情も関係しています。しかし、民主主義の重要さを考えるうえで大事な何かが台湾で見えることは確かです。それは投票によって何かを変えることができるという「信仰」が生きている社会は、やはり風通しがいい、という点です。

私はよく、大学の教え子たちに向かって「未来を変えるためにも、投票へ行きなさいよ」という話をします。ところが、たいてい「先生、投票したって日本は何も変わらないじゃないですか」という返事が戻ってきます。

そんな言葉を聞くたびに、民主主義の理想を選挙に賭ける台湾の姿を説明し、その思いを学んでほしいと願っています。

5　新たな時代を迎えた台湾

反省を活かした新型コロナ対応

2019年に始まったコロナ問題で、台湾の対策の良さが印象に残っている人もいるかもしれません。ウイルスの特性も分からず、どういった対策をすればよいのか躊躇（ちゅうちょ）しているうちに、感染が広がり、各国ともパニック状態に陥りました。

ところが、台湾は新型コロナのなんたるかが分かる前に、圧倒的なスピードで対策を打ち出していったのです。翌2020年の1月5日には専門家の会議を開き、1月20日には日本の厚生労働省にあたる衛生福利部が中央感染症指揮センターという委員会を開き、2月6日には中国との往来を封鎖しました。ここまでわずか1ヶ月。新型コロナの初動を巧みにやったことで世界的に高い評価を受けたのです。そのあたりは拙著『なぜ台湾は新型コロナウイルスを防げたのか』に詳しく書いています。

このことは台湾の人々にも大きな自信を与えました。台湾は「TAIWAN CAN HELP」というキャッチフレーズを作って、世界に対するマスク支援などを活発に行います。その台湾が国際機関、とくに世界保健機関（WHO）に入れていないこと、その背後に中国の反対があることに疑問が広がりました。健康や衛生の問題は政治対立を超えるべきではないか、そんな当たり前の疑問が人々の間に共有されたのです。

私は台湾のコロナ対策の成功の背後に「失敗から学ぶ」という作業を地道にやった経験があると思っています。２００３年に台湾で重症急性呼吸器症候群（SARS）が蔓延しました。当時の陳水扁政権は対策が後手後手に回ったことで、84人の死者を出して国民からの非難を浴びることになります。この反省を活かし、同年に庁間の協力で迅速な伝染病防止対策を行える伝染症防治法を制定、国家衛生指揮センターを設立するなど、緊急危機対応のための整備を行ってきました。それが今回の対策に役立ったのです。

これは蔡英文政権だけの功績ではなく、台湾の人々が万が一に備える努力を重ねてきた結果でもありました。

３日で作られたマスク在庫アプリ

新型コロナ対策で一躍有名となったのが、デジタル担当大臣のオードリー・タン（唐鳳）でしょう。新型コロナの流行後、マスクの品切れが予想されたことで、すべてのマスクを政府が買い取って輸出を禁止します。そこからわずか3日後、彼女はマスクの販売店と在庫がリアルタイムで分かる「マスクマップ」というアプリを公開したのです。

中学を中退してドイツへ留学、19歳のときにシリコンバレーで起業をしたタンは、馬英九政権時代に政府のアドバイザーを務め、２０１６年の蔡英文政権下で行政院政務委員に登用されました。

彼女自身もプログラマーで、台湾にいる民間のシステムエンジニアやホワイトハッカーたちとのネットワークを持っています。このマスクマップも、もとはある市井のプログラマーがＷｅｂ上にアップしていたものでした。それをマスク規制が始まった日に見た彼女は、マスクの流通データをオープンデータにしたのです。そのうえで、このデータを使って民間のホワイトハッカーたちがマップ作りを行います。わずか3日でアプリが完成できたのは、自分の理想や理念、アイデアを、いろんな人を通して実現していくオーガナイザーとしてのスキルに長けているからでしょう。

私はこうした台湾のスピーディな対応を見て、走り出したら止まらない、という台湾人のノリの良い国民性が、いい方向に出たと感じました。いいアイデアが出たら即実行、ダメならほかを考える――喩えは悪いかもしれませんが、ゲーム感覚で楽しむようにコロナ防止策を立てていったような印象を持たずにはいられませんでした。

国を挙げてのDX化

コロナ対策におけるスピード感の一因は、オープンガバメントの思想が定着していることも挙げられます。これを推進しているのもオードリー・タンでした。

民間からのさまざまな助言や政策提言をどんどん吸い上げるプラットフォームがあることで、次々と対策を打ち立てていける。マスクマップもそうでしたが、まずは国が持つビッグデータをオープンにして広く有効的に活用していく、というのが、デジタルトランスフォーメーション（DX）の基本です。台湾では日本よりも早い2003年に国民背番号制（日本でいうマイナンバー）が施行されており、健康情報も含め、システムに全国民のデータを紐づけできるようになっています。こうした下地もあって、2022年にはデジタル発展省を設置、初代大臣には彼女が就任しました。

台湾のデジタル化構想は、リトアニアなどの小国におけるデジタル技術を活用したスマート国家がイメージにあると思われます。

確かに、日本人に比べて台湾人はデジタルデバイスへの親和性が高い。台湾ではスマートフォン（以下、スマホ）の普及率が98％ともいわれ、街では老人たちがスマホを使いこなしている姿もよく見かけます。デジタル化へのハードルは低いのかもしれません。

ただし、私が実際に台湾で生活してきた実感をお話しすれば、本当に台湾はデジタル社会なのか？　と思うことも少なくありません。なにせ台湾は日本以上のハンコ文化です。何をするにも書類にはハンコがないといけない。後はインフラの問題です。台湾におけるインターネットの普及率は、東アジアで日本、韓国に次ぐ3位。しかも回線が遅く、地方ではアクセスの確保に苦労するときもあります。実像と虚像という部分が、台湾のデジタル化については存在しているように思います。

ただ、先ほどお話ししたように、良いとなったら即実行の国民性ですから、デジタルを活かしたライフスタイルに変えていこうというモチベーションは高い。現与党の民進党も新しい時代に即した政策を遂行するところに人気を保つ秘訣があるので、国を挙げてのデジタル推進はしばらく続くだろうと思われます。

蔡英文の次の総統は誰に？

新型コロナ対策で国際的な知名度も高まった蔡英文総統でしたが、もともと彼女は政治家を志していたわけではありませんでした。

米英で国際貿易を研究し、台湾に帰って大学教授をしていた蔡英文は、1990年代に入って経済成長を果たした台湾が世界貿易機関（WTO）への参加を検討していた時期に、李登輝に見初め（みそ）められ、貿易のエキスパートとして政府の委員などに起用されました。その後、民進党に入党すると、閣僚として陳水扁政権の大陸委員会主任や副首相も務めます。政治とは一線を画す優秀なテクノクラート（技術官僚）として評価されていました。彼女が将来、台湾の総統になるなんて本人も周囲もそのころは夢にも思っていなかったでしょう。

そんな彼女の運命を変えたのが2008年でした。陳水扁政権を数々のスキャンダルが襲い、民進党は総統選挙に敗れただけでなく、立法院選挙でも国民党に圧倒的な差をつけられ、大惨敗を喫してしまいます。

民進党はもうダメだと多くの人が思いました。ボロボロになった党の主席を引き受けようとする人も誰もいない。そんななか、蔡英文に白羽の矢が立ったのです。彼女のことを多くの人はショートリリーフだと考えていました。ですが、持ち前の粘り強さを発揮し、だんだんと党のなかで存在感を高めていきます。党主席を４年間務め上げ、２０１２年の総統選挙では民進党候補として出馬します。結果は、現職の馬英九に敗れることになりますが、善戦といえる戦いぶりを見せたのです。

そして、そんな彼女に「神風」が吹きます。２０１４年のひまわり学生運動です。一気に世論が国民党に厳しいものとなり、２０１６年の総統選でみごと台湾初の女性総統に選ばれたのです。

国民の支持を得て１期目に入った蔡英文ですが、政権運営には苦戦をすることになります。いかんせん彼女は学者出身で、政治家の経験は少ない。国の理想像を考えるのは得意でも、法案をうまく国会で通すような政治的調整がうまくなかったわけです。小さなエラーを繰り返し、期待が大きかった裏返しとして、国民の非難を受けることになり、２０１８年の統一地方選挙では大敗を喫して、一度は民進党の主席を辞任します。

ところが、蔡英文に再び神風が吹きます。それが香港のデモです。香港の民意を尊重しようとしない中国への失望が広がり、蔡英文も先頭に立って香港を応援すると、支持率は急回復。２０２０年１月の総統選挙では民進党が勝利し、蔡英文政権は２期目を迎えられたのです。もちろんそれだけではありませんが、確かに蔡英文は運のいい政治家だということはいえるでしょう。

その後、新型コロナ対策で国際的な評価を得た蔡英文ですが、２０２２年の統一地方選挙で、候補者を選ぶための党内予備選をする慣例を無視し、自分の推薦する候補を強引に擁立しました。ただ、その候補者たちに学術論文不正などの問題が続々と露呈して、急速に信頼を失います。こうして、地方選挙は惨憺たる結果となり、再び党主席の座を辞しました。

来る２０２４年１月には総統・立法院選挙が行われます。現在、再び中国との関係が国際的な注目を浴びているなかで、台湾の人々はどういう判断を下すのでしょうか。本著が刊行される時点は総統選挙まであと１ヶ月。まさに大詰めです。この原稿を書いている時点では、民進党の候補、頼清徳氏がリードを保っている状況ですが、ほかの候補との差はそれほど大きくなく、野党連立候補の動きもあるなど今後の展開はなお予断を許さない状況です。

台湾は未承認「国家」である

さて、ここまで台湾が抱える問題と、台湾をとりまく現状をお話ししてきました。そのうえでもう一度、最初の問いに戻って考えてみたいと思います。

台湾は国なのでしょうか。私は条件付きで「イエス」と答えたいと思います。

台湾にはれっきとした領土もあり、それを支える国民もいて、憲法の下に選挙もあって国会もあり、一つの国家として制度が整っています。足りないものは、国際承認だけです。1972年に国連を脱退してから、正式な国交を結んでいる国はごくわずかです。

つまるところ、国際承認を広く得られていない台湾は、いわゆる「未承認国家」であると位置づけるのが公平な評価だと思います。ちなみに世界には、コソボ、パレスチナなど各事情こそ異なれ、約13の未承認国家があるとされています。

中国は台湾（あるいは中華民国）という国家は存在しない。一つの中国という原則の下、台湾は中華人民共和国の一部だと主張するでしょう。しかし、それはあくまでも中国の主張です。

一方、台湾が「中国」を代表する政府ではない、という点は誰もが認めています。しかし、台湾に存在する政治実体が国家ではないと断定できる人は、国連といえども、あるいは北京やワシントンD.C.の指導者でも、いないのです。

自分たちの生きている場所が「国家」であるというのはそれぞれの自己認識の問題です。

独立運動の歴史を経ている国は世界に少なくありません。それらの国は最初から国家であると承認されているわけではなく、苦労の末に国際承認を勝ち取って今日に至っているわけですが、国際承認を得る前の時点でも彼らは自分たちが国家であると認識していたでしょう。

台湾の人々も自分たちが生きている場所は国家であると考えています。その自己認識を究極的に否定することはできません。ただ客観的に「国際承認が不足しています」「中華人民共和国との紛争が解決していません」とわれわれは言うことができるのみです。

日本にとって海を挟んだ隣にある、未承認国家・台湾。観光やビジネスで訪れる人が増えても、政治問題・外交問題としての台湾は長く不可視領域に置かれ、見て見ぬふりをしたまま国交断絶から50年以上の時が経ってしまいました。台湾に対する関心や意識が高まってきた今こそ、まずは基本的な理解を深めていかなければならないと考えています。本書が皆さんにとって台湾を知る入り口となってくれることを望んでいます。

では、次の章から本章で挙げた問題をより細かくお話ししていくことにしましょう。

台湾の「歴史」はいつから始まるか

1　大航海時代に発見された麗しの島

ここからは台湾を語るうえでいちばん大事な、歴史についての説明をしていきましょう。なぜいちばん大事なのかといえば、歴史認識が、台湾社会のあり方を決定づけている大きな要素だからです。平たくいいますと、どんな歴史観を持っているかによって、台湾ではその人の政治的立場やバックグラウンドが分かるのです。日本で歴史論争といえば邪馬台国や応仁の乱など「歴史愛好家」というカテゴリーに入ってしまう話になるでしょうが、台湾で歴史論争になると、もうこれは生きるか死ぬかといっていいほど、その人たちの信念をかけた議論になるのです。

日本人として台湾の歴史を知ることはとても大切です。台湾の歴史に、日本が深く関わっている、ということもあります。歴史は、台湾の面白さでもあり、複雑さの象徴でもあります。ここで躓（つまず）いてしまってはもったいないので丁寧に論じてみたいと思います。

台湾に関わる3つの歴史観

そもそも台湾の歴史はいったいいつから始まるのでしょうか。実は台湾社会には3つの考え方が存在します。

１つ目は、３万～５万年前の旧石器時代から台湾にいた先住民（原住民）族の時代から始まる、という説です。現在、台湾に暮らす先住民族は16民族いるとされ、人口の約２％といわれていますが（図表４）、「台湾の主人公」は本来自分たちであるというアイデンティティを持っています。旧石器時代からの遺跡も各所から発掘されており、まさに台湾の主人公でした。彼らの存在には現代台湾でも一定のリスペクトが払われています。

２つ目は、台湾の歴史は中国５０００年の歴史の一部である、という中国史の歴史観です。中国の歴史が５０００年なのか４０００年なのか、いろいろ議論はあるところですが、蔣介石政権の時代に強く主張されてきました。蔣介石は、台湾の人々に幼いころから中国人としての教育を叩き込んでいます。中国の10大河川を暗記しろ、北京から上海まで列車のすべての駅名を覚えろ……など、台湾で生まれて台湾で育った人たちにとって実感のない教育を行いました。自らを中国人だと思い、中国大陸奪還を目標とする蔣介石にとって、中華民国がある台湾も中国の一部だという点が重要だったからです。

ですが、民主化が進んで台湾らしさを否定しない社会に変わった１９９０年代以降、台湾社会はこうした歴史観を見直す方向に向かっていきました。

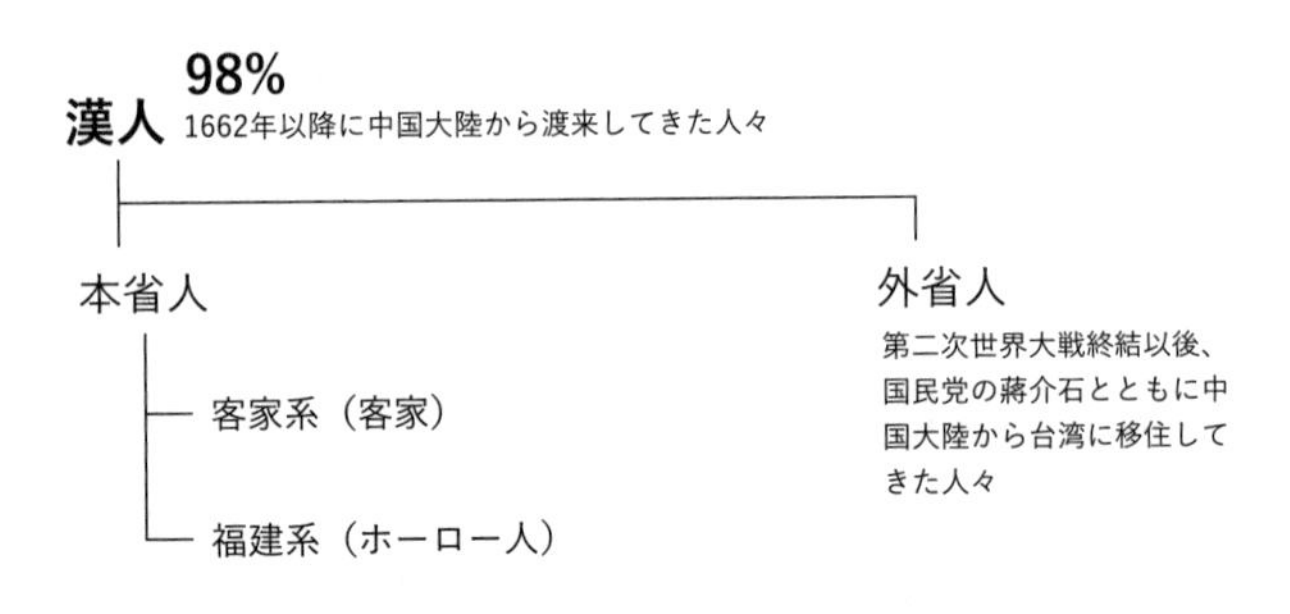

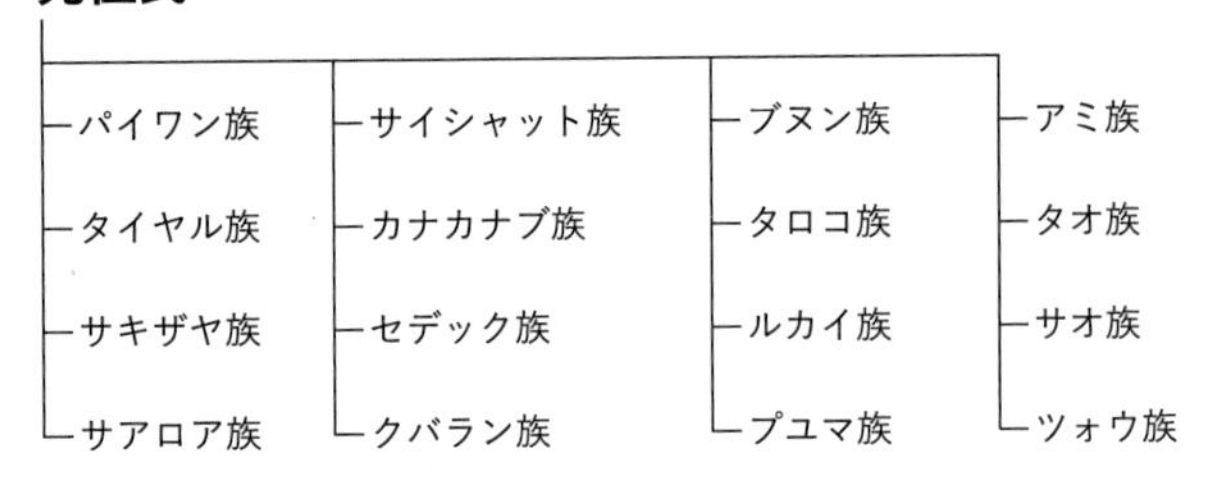

※百分率は全国民に占める割合を示す。

図表4　台湾のエスニックグループ

そこで出てくるのが３つ目の、「台湾４００年の歴史」という見方になります。大航海時代のなかで、台湾を貿易の要所として考えたオランダ、スペインなどの国々によって運命が大きく動き始めた時代からが、台湾の歴史であると考える台湾史観です。

現在の歴史教育ではまず先住民の歴史を内在させることで台湾としてのオリジナリティ、アイデンティティを確保し、その後４００年の歴史の流れを辿るのが主流となっています。特に民進党はその歴史観に傾斜しています。一方、国民党は中国史観を否定することまではしていません。

東アジアの貿易拠点としての歴史

それではここから、台湾４００年の歴史をおおまかに振り返っていくことにしましょう（年表は巻末）。ポイントは、台湾の海洋交通における「価値」の発見とともに、台湾の歴史が動き出した、という点です。

15世紀末からポルトガルによる新航路の開拓によって、ヨーロッパ諸国は海外貿易の拡大のため、アジアに目をつけるようになりました。１６００年にイギリスは東インド会社を、追って2年後にオランダが連合東インド会社を設立し、アジアでの植民地経営と交易に乗り出します。いわゆる大航海時代の始まりです。

ここでオランダは台湾海峡に目をつけます。東南アジアと東アジアを結ぶ航路として、当時の中国大陸を支配していた明、そして日本との貿易拠点として、台湾島および澎湖諸島が最適であると考えたわけです。このころの台湾海峡は、武装した漢人の商人集団や日本人などが密貿易を行っていました。

オランダは１６０４年に澎湖島を占領するものの、明の説得を受けて一度は撤退します。しかし、ポルトガル領だったマカオを得ようとする戦いに敗れ、１６２２年にあらためて澎湖島を占領しました。このときも明から艦隊を派遣されて、結局移った先の台南に拠点を置くことになります。今日、ゼーランディア城の名前が残っています。

一方で東アジアの貿易権を得ようとするスペインも黙ってはおらず、１６２６年に台湾北部へ兵を送り、拠点を築きます。この遺跡も今日、サン・サルバドル城と呼ばれて現存しています。しかし、日本の鎖国政策などもあって兵の規模を縮小し、結果的に台湾から撤退することになりました。

その後、中国大陸では明が滅ぼされます。新興勢力の清が王朝を建てましたが、明の人々は各地に亡命政権を作って抵抗を見せました。なかでも明の海賊・貿易商を父に、日本人を母に持つ鄭成功（ていせいこう）は、北伐軍を組織して清に反抗しますが、力及ばず敗北し、台湾島に対清拠点を置くことを試みます。

そして、1661年に澎湖諸島を占領し始めた鄭成功は、1年にわたる抗戦の末、オランダを台湾から撤退させます。こうして台湾は欧米列強の支配を逃れることになりました。鄭成功はのちに蔣介石時代に「民族英雄」として各地に彫像などが建てられます。それは、清朝を中華人民共和国に喩えて、鄭成功が掲げた明朝の復興を中華民国の復興に喩える、というロジックによるものです。歴史が為政者に都合良く利用されることがよく表れているケースだと思います。ただ、鄭成功に対する反感は、台湾ではとくにありません。それはやはり台湾に「政権」を作った最初の漢人という親しみがあるからでしょう。

ここから鄭氏支配と呼ばれる時代に入りますが、長くは続きませんでした。オランダを追い落とした年に鄭成功が亡くなると、その後は内紛などもあり、1683年に鄭家は清に降伏しました。

フォルモサ、美しく麗しい島

ところで「台湾」という名前はどこからきたのかご存じでしょうか。

一説には、先住民シラヤ族が台南のあたりを「タイオワン」と呼んでいたことにルーツがあるといいます。17世紀に大陸から台湾へ渡ってきた人々がシラヤ族の人に「ここはどこ?」と聞いたら、「タイオワン」と返ってきたので、それがなまって「タイワン」になり、漢字をあてて「台湾」と呼称するようになった、というものです。古文書には「台湾」とは書かれておらず、「流求」と書かれています。ただ「流求」が台湾を指すのか、現在の沖縄を指すのかは分からないのです。「南の方にある、よく分からない島」というイメージの言葉だったのではないかと推測されています。

世界的には台湾は「フォルモサ(Formosa)」という名前で呼ばれていました。大航海時代、ポルトガルの船が台湾を通りかかって「なんて美しい島だ!(イラ・フォルモサ = Ilha Formosa)」と感嘆したそうです。それで、通りかかるヨーロッパ人たちは皆、台湾を「フォルモサ」と呼んでいたそうです。

美しい島、「美麗島」。外国人が呼んだ名を、台湾の人たちも気に入って使い始めたといいます。今でも台湾の人たちが自らを「美麗島」と呼ぶのは、その名残です。

２　日本の統治下時代と近代化

日清戦争で割譲された台湾

19世紀には世界の国々のアジア進出がより強まり、台湾の運命も激動のときを迎えます。開国した日本と清との間に、１８７１年、日清修好条規が調印されます。しかし、台湾で琉球・宮古島の漂流民54人が殺害された事件をきっかけに、１８７４年に台湾出兵が行われました。日本と清朝は本格的な戦闘には至りませんでしたが、明治政府は琉球の日本帰属を誇示することに成功します。

さらに、１８９４年に朝鮮で起こった東学党の乱をきっかけに、日清両国が軍隊を派遣して対立し、日清戦争が勃発。１年後に停戦の際の下関条約で、清は台湾・澎湖諸島を日本に割譲することになりました。

――と、ここまでお話をするときに、よく出る質問があります。「敗戦したとはいえ、なぜ清は台湾を割譲したのですか？」と。

ここには清の台湾に対する意識の低さがあったといわざるを得ません。

清に重要視されなかった「化外の地」

日本が台湾を欲した理由は、皆さんも歴史の授業などで理解していると思います。

当時の日本は、日清戦争の発端ともなった大陸進出を目指していました。こうした「西進」の一方で南への進出、「南進」も考えていたわけです。ですから、下関条約で台湾を手に入れることで、さらに東南アジアや太平洋へ進んでいくための戦略的な拠点を得られると睨んだのです。

ところが清にとってみると、当時の台湾は重要視していた領土ではありませんでした。支配は台湾の西側中心にとどまっていた時期が長く、台湾全体には完全な統治を行っていない状況でした。その証拠に当時の清朝では、台湾を指して2つの呼び方があったそうです。「化外(けがい)の地」、それから「瘴癘(しょうれい)の地」というものです。

「化外」とは「文化の外」を意味します。清の人々にとっては、中国文化を身につけていることが中国社会の一員であることを示すステータスでした。そのため、中国の文化の及んでいない台湾は未開の地、本当の意味での中国ではないと考えていたことになります。

もう一つの「瘴癘」とはマラリアなどの風土病を指します。謎の病気がはびこる場所として恐れられていたのです。こういったことからも分かる通り、清朝は台湾に対して、積極的な開発を行わなかったのですね。

つまりは、日本にとっては喉から手が出るほどほしい土地が、清にとっては戦争の賠償(ばいしょう)としてちょうどいい土地であった。それぞれの意図が合致したかたちでの割譲だったのです。

日本が台湾に持ち込んだ近代化

こうして、日本が台湾を支配する時代がやってきます。

日本は台北に台湾総督府を置き、台湾の人々に向けて、下関条約から2年間の期限を設けて国籍を選択する権限を与えました。「これから日本が台湾を支配するけれど、台湾を離れたかったら離れていいよ」という措置ですね。

結局、台湾を離れたのは4500人、当時の人口の約0・2%だったといわれています。しかし、この結果が日本への歓迎を表したものだったかというと、そういうわけではありません。清朝下のエリートを中心にした不満が出て、それを抑えた後も武装ゲリラによる抗日運動が断続的に続き、多数の死者を出しています。日本側も軍の力に加え、警察制度を整備するなどして統治の強化にあたり、抗日運動の多くは次第に鎮静化します。

一方で、日本は本来の目的である、太平洋への南進の拠点として台湾を整備し始めます。街並みは西洋風の建物に変わり、水道・電気も設置した都市計画でモダンに生まれ変わりました。農業発展のために利水ダムを造り、南北間を貫く縦貫鉄道、縦貫道路を完成させ、港の整備・築港も行い、インフラを整備していきます。さらには瘴癘の島と呼ばれた台湾の医療、衛生問題も大きく改善させました。

そして、忘れてはいけないのが教育制度の確立です。清朝時代は公教育というものはありませんでしたが、日本は統治面での理由もあって初等教育を義務化しました。のちには中学以上での台湾人と日本人の共学化をはかり、以降の台湾社会のエリートを育てていくことにもつながったのです。

こうして日本は自らの文明開化の経験を活かし、結果的に台湾に近代化をもたらします。これらの発展を助けたのは日本から台湾にやってきた優秀な人材たちでした。第4代総督・児玉源太郎が産業振興を行い、その懐刀であった医師の後藤新平は医療制度を確立させました。さらに農業博士の新渡戸稲造がさとうきび栽培による製糖業を整備すれば、明石元二郎はインフラ整備に尽力する。このように当時の日本社会で明治維新による近代化で台頭した一流の人材たちが、自身の持っている技術や能力を思う存分台湾へ落とし込んでいったのです。この点は、日本と台湾の出会いのなかで、とても幸福なことだったといえます。

日本統治下への評価

もちろん台湾の人々から見たら、差別はありましたし、多くの面で日本人のほうが有利な状況だったことは確かです。実際に映画『セデック・バレ』で描かれた霧社（むしゃ）事件など、凄惨な抗日闘争も起こりました。

ただ、すべての人たちが徹底的に不満だったかといえば、そうでもありません。近代化が進み、さらに台湾のなかでそれなりに富の分配も行われて、それまでと比べたら豊かな生活を送れる人も多くなったからです。当時の台湾の経済水準は日本の地方都市より高く、沖縄や九州から出稼ぎにくる人もたくさんいました。

台湾の日本による占領時代を振り返るとき、よく朝鮮半島、とくに韓国との比較をされることがあります。日本の統治時代を語るうえで、台湾は韓国に比べて否定的な意見が少ないのではないか、という話です。これには台湾特有の理由があると考えられます。

まず一つに、台湾にはそれまでナショナリズムや伝統をかき立てるような統一王朝や強い政権がなかったことです。朝鮮半島の場合は李氏王朝があり、朝鮮民族のナショナル・アイデンティティがそれなりに形成されていたところに日本がやってきたけれど、台湾にはそのナショナル・アイデンティティが希薄だったという事情が浮かんできます。

さらには時間の問題です。日本が台湾を統治したのは約50年で、朝鮮の約30年よりも長いのです。50年と30年では、施策の成果として見えてくるものが多くなるのは当然であるといえます。50年の間で三世代にわたって日本の統治下で暮らす人も増えていき、その生活を受け入れた人が多くなったのが、一つのポイントだと思います。

こうした状況のなかで、日本の統治時代が終わって国民党政権の支配が始まったときに、人々はいったんは「祖国復帰」を喜びます。しかし、悪政・弾圧に走った国民党と比較してみたら、日本がいた時代はそこまで悪くなかったんじゃないか、と。そう考える人たちの思いが、時代を経て、ノスタルジーとともに語られることが増えていったといえるでしょう。

3　戒厳令時代と台湾海峡危機

犬が去って豚が来た

１９４５年に日本が敗戦すると、台湾は中華民国が接収し、統治することになりました。台湾の人々は長い植民地生活が終わるという期待とともに国民党を迎えました。しかし、役人による汚職や兵士による強奪などが横行し、台湾社会は混迷します。

このころ台湾の人たちは「日本人という犬が去って、中国人という豚が来た」と嫌悪したといいます。豚とは中国人社会でこれ以上ない侮蔑（ぶべつ）の表現で、中国人より日本人のほうがマシだった、と言っていることになります。

日本によって近代化された台湾社会にとってみると、国民党の人々の立ち振る舞いは野蛮に見えました。近代化とは、すなわち人々が法というルールに従って生きることでもあります。日本人は高圧的なところはあったが、法を無視はしなかった。台湾の人たちは、そういった近代国家のトレーニングを受けていないように思える国民党軍の兵士たちを見て、失望してしまったのです。

同時期にアメリカの占領下に入った日本は、比較的スムーズにＧＨＱ（連合国最高司令官総司令部）の統治に適応できました。その理由の一つとして、私はアメリカ文明の豊かさに日本人が圧倒された面が大きかったと思います。文化の力の差に、一種のリスペクトを抱くことになった、と言えばいいでしょうか。

しかし台湾の場合はその逆の感情が芽生えてしまった。ここに一つの悲劇があったのです。

多元社会ゆえのディスコミュニケーション

ところで台湾は多民族国家である、という言われ方をします。確かに多民族であることには違いないのですが、多元的という言葉のほうが適切かもしれません。台湾でも「民族」という言葉を使いません。使うのは「族群」、グループという言葉です。

人口構成的には、漢族が圧倒的に多数派です。台湾には昔から住んでいたアミ族、パイワン族といったさまざまな先住民族がいますが、全人口の２％ほどにすぎません。ただ、漢族のなかが複雑です。まず明・清の時代に福建系のホーロー人、その末期から清朝統治時代にやってきた客家（はっか）人などの漢民族が台湾にわたってきます。彼らは本省人と呼ばれています。

そして国民党とともにやってきた外省人と呼ばれる人たち（彼らは台湾人の１割強を占めると

いわれています）によって、台湾の人口は構成されています。

ですから、民族ではなく、族群、グループで分けましょうということになるのです。

ここで言葉の問題が出てきます。清の統治時代、先住民族はそれぞれの言葉を使っていました。そして福建省からの移民は福建語（閩南語）とそこから発展した台湾語を、客家は客家語を話していましたが、中国特有の状況として、中国各地で使われる言葉は、コミュニケーションがとれないくらい違います。こうしたなかで日本人がやってきたことで、日本語が共通語のようなかたちで浸透していきます。ちなみに今でも「アタマコンクリ」、つまり頭の固い奴だという言葉などが残っていたりします。

ところが、外省人は北京語しか話せませんでした。彼らは北京語を標準語として教育していくことになります。現在、オフィシャルな場ではこの北京語が使われますが、とくに福建系の本省人が生活言語として、心のこもった話をする場合には台湾語が使われることもあります。

こうした事象があって多民族国家というのもしっくりこないし、多族群国家という言葉もありません。だからこそ、いろんな人たちがいる社会なので、多元社会という言い方あたりが適切ではないかと考えています。

インテリを排除した白色テロ

話を第二次世界大戦後に戻しましょう。

中国大陸で日本という共通の敵を前に手を握った国民党と共産党でしたが、信条も支持層もまるで違う宿敵でもありますから、終戦後には再び物別れしてしまいます。

1946年から国民党と共産党との間で（第二次）国共内戦が勃発します。当初は国民党が有利に戦いを進めていましたが、徐々に共産党の人民解放軍が反攻を開始、戦闘は激化の一途を辿ります。

一方、台湾では1947年にタバコを販売していた台湾人女性を役人が負傷させたことをきっかけに、市民がデモを行います。そのデモ隊に憲兵隊が銃撃したニュースが流れると、台湾全土に騒動が広がっていきました。騒動を収めるために大陸から国民党軍が増援され、武力制圧を行い、多くの人が亡くなりました。民主化後に行政院が出した推定では、犠牲者は1万8000人から2万8000人といわれています。これが二・二八事件です。

二・二八事件とその後の白色テロでは、日本の高等教育を受けたエリート層の台湾人が多く被害を受けています。海外の書物を読むような知識人たち、しかもマルクスなどに触れるような人たちは、共産主義と戦う国民党の敵とみなし、疑わしいだけで捕まえ、牢屋に入れて拷問をしたのです。

こうした行為を見た台湾人たちは、彼らを野蛮とみなし、より非難の目を向けます。しかし、国民党側からしたらまったく理解できないわけですね。われわれは日本に抵抗して戦って台湾を救ったのに、なぜ言うことが聞けないのか。そのうえ、どうして敵である日本から教わった知識を使ってわれわれを軽蔑するのか——と。コンプレックスの裏返しの裏返しといいますか、双方のなんとも複雑な感情が、日本を媒介にぶつかってしまったのです。

1948年に入ると、大陸では国民党の旗色が悪くなっていきました。その一方で台湾において集会、結社、デモなどを禁ずる命令を下し、5月20日になると以後38年に及ぶ戒厳令を敷きます。

結局、同年10月に毛沢東は中華人民共和国の樹立を宣言、蔣介石と国民党の要人たちは逃げて、12月に台北に辿り着き、台湾を大陸反攻、反共産党の拠点とすることになります。

国民党政権は、反政府的な言動を取り締まり、冤罪（えんざい）なども含めて片っ端から収容所送りにしました。台湾はこうした過剰なまでの弾圧、いわゆる白色テロの暗黒時代を迎えます。本省人と外省人の関係は悪化する一方で、蔣介石は総統に権限を集中させる方策を次々と打ち出し、独裁体制を強化していきました。

台湾海峡危機と第三次世界大戦の恐れ

一方、大陸を手にした中国としては、台湾に逃げた国民党政権に追い打ちをかけて征服しようと考えていましたが、1950年に朝鮮戦争が勃発したことで、断念せざるを得なくなります。アメリカは、ソビエト連邦や中国といった共産主義国家による脅威からアジア圏を守るため、台湾を重要拠点と位置づけ、軍事・経済両面での援助を行います。

そして、朝鮮戦争終結後の1954年、第一次台湾海峡危機が起こり、中国の人民解放軍は金門島、馬祖島への攻撃を開始します。さらに国民党の勢力地域である大陳島（だいちんとう）への爆撃も行いました。この危機にいたって、台湾はアメリカとの間に米華相互防衛条約という軍事同盟を結びます。国民党（台湾）はアメリカとの相互了解のもとで大陳島をあきらめ、金門島、馬祖島を守ることに専念しました。結局アメリカが中国に向けて核攻撃をちらつかせたことで、危機はいったん終結しましたが、これによって中国は核開発の決意を固めることになりました。

その後、中国はソ連からミグ17（戦闘機）を提供してもらい、自国での戦闘機も開発して準備を整え、1958年に再び金門島に砲撃を加えました。アメリカも黙ってはいません。台湾海峡に空母と、当時最先端の戦闘機を配備して応戦。空中戦で互いのジェット戦闘機同士がミサイルを撃ち合う状況に突入します。第二次台湾海峡危機の始まりです。

アメリカが提供した空対空ミサイル・サイドワインダーは初めて戦闘に使用されたものでしたが、赤外線で探知して相手の戦闘機を撃墜し、大きな戦果を得ることになります。軍事力の差に、中国は台湾への攻撃をあきらめました。これが現在では国共内戦の最後の戦闘ということになっています。

あまり知られていませんが、戦後初めて世界が核戦争に近づいたと目されているのが、この第二次台湾海峡危機だという見方もあります。後年になってアメリカの公文書が公開され、台湾などが攻撃された場合、中国本土への核攻撃が計画されていたことが分かったのです。しかし核攻撃を行えば、最終的にはソ連との全面戦争が懸念されるので、実行には至りませんでした。

蔣介石は第二次台湾海峡危機の勢いに乗って、大陸反攻へ打って出ようと考えていました。ですが、アメリカは防衛以上の戦闘に反対します。台湾が中国と全面戦争に突入した場合、同じ共産国家であるソ連は参戦してくるだろう。そうなるとアメリカも参戦せざるを得なくなり、第三次世界大戦になる恐れがあるわけです。ですから、アメリカとしてもあまり中国を刺激せず、意見の対立が出始めていた中国とソ連の関係を分断したい目論見があったのですね。

こうして、蔣介石と当時のアメリカ国務長官ジョン・フォスター・ダレスは会談を重ね、「蔣・ダレス共同コミュニケ」と呼ばれる声明を発表。現在のような台湾海峡の分断が固定されることになったのです。

未承認国家と民主化への道

台湾海峡危機がいったんの解決を見たのちも、台湾内部では戒厳令が敷かれたままでした。先ほどもお話しした通り、初期には白色テロなどの民衆弾圧が行われます。ですが時が経ち、次第に共産党の統治が安定してくると、台湾側で大陸反攻の機運も弱まり、1971年には、アメリカのリチャード・ニクソン大統領が中国を突然訪問します。前述のようにソ連と中国との分断を深め、米中関係を改善して自分の味方につけようとしたわけですね。さらに国連において、中国の正式な政府としての代表権が、つまり中華民国から中華人民共和国に渡ってしまったのです。

台湾は国連から脱退し、１９７９年には中国と正式な国交を結んだアメリカと断交するなど、孤立の道を歩むことになります。外交的に有利なポジションになった中国は「台湾は中国の一部である」という「一つの中国」論を世界に拡げていきました。

――ここまでが、民主化までのおおまかな台湾の歴史ということになります。こうしてみると、台湾は地政学上大変に重要な国であることが分かっていただけたかと思います。

一方、中国はその台湾の価値になかなか気づかなかった、という点は否めません。前述のように、台湾の地政学的、海上交通的な価値に気づいたのは、海からやってきた勢力――オランダ、スペインなどのヨーロッパの国々です。次に台湾の価値に気づいたのは日本でした。日本は台湾を拠点として、南方へ勢力拡大していきました。一方、戦後はアメリカが共産圏の進出を止めるために台湾に目をつけたわけです。

中国も現在でこそ台湾の地政学的な重要度を理解しているのでしょう。しかし、その原点にあるのは、台湾の重要性ではなく、台湾を取り戻したいという感情的な部分が大きいのではないでしょうか。中国共産党にとって、台湾奪還は共産党のドグマであって、理屈ではないものです。それは蔣介石も同様でした。大陸を取り戻すことがいちばんの命題で、台湾を発展させる施策よりも軍事に力を入れていたわけで、台湾という場所の価値に気づいていたとは思えないところがあります。

台湾が真の意味で自国の価値に気づき、発展していくうえで鍵を握る人物が、蔣介石の息子・蔣経国です。蔣経国は台湾の経済成長を促進し、資本主義体制を強化し、台湾の民主化への道筋をつけました。それとともに中国との関係性も変化していくことになります。

次の章では現在の台湾と中国との関係性についてお話ししていくことにしましょう。

台湾の人々は「中国」をどう考えているのか

1　民主化へと導いた指導者・蔣経国

中国統治の証明

台湾と中国の関係を語るときに、故宮博物院の存在はとても役立ちます。

故宮博物院は昔からの古文書や美術品などが収められたミュージアムです。もともとは北京の紫禁城（故宮）のなかに、清朝が所有していた古文書や美術品などを公開する場所として1925年に作られました。しかし日本軍が攻め入ってきたことによって、蔣介石は重要だと思われる品々を避難させます。第二次世界大戦終了後には所蔵品を南京まで戻しますが、蔣介石は共産党に追われるなかで、収蔵品を厳選して台湾に運び入れたのです。

なぜそこまでして……と思う方も多いでしょう。中国は王朝が繰り返し入れ替わって支配してきた歴史を持ちますが、歴代の王朝が倒れても宝物はその後の支配者に引き継がれてきました。ですから、こうした価値のある宝を所有することこそが、統治権の証でもあるのです。つまり蔣介石は重要な宝物を持つことで、自分たちこそが中国の正統な支配者であるということをアピールしようとしたことになります。

敗走している側が美術品を持って逃げるという感覚は、日本人には想像ができないかもしれません。そもそも美術品に関する感覚の違いもあるかと思います。ここ10年ほど、クリスティーズやサザビーズといった美術オークションで、中国の美術品の価格が数十倍にはね上がるようになりました。それは中国の富裕層たちが買い漁っているという理由があるといわれています。経済的に成功した人が美術品を持つことがステータスであることもありますが、中国の人たちには、自国の優れた品を海外から取り戻したいという思いが強いのです。近年は戦乱のなかで盗まれた品に対して、世界中で中国政府が返還を求めているのも、そうした価値観の違いが分かる一例ではないかと思います。

ともかく、このような事情で故宮博物院は台北と北京の2カ所に存在することになりました。中華人民共和国でも、自らの正当性を証明するために紫禁城内の故宮博物院を公開していますが、蔣介石がいいお宝をすべて持っていってしまって、北京の故宮は空っぽで一流なのは建物だけだという言い方をされることがあります。

対する蔣介石は１９５７年に一部宝物の公開を始めましたが、正式に台北の故宮博物院を作ったのは１９６５年のことでした。当然のことながら蔣介石は大陸に戻り、北京の故宮博物院に宝物を戻すつもりでしたから、当初は台湾に博物院を建てる必要性を感じていなかったんですね。それほどまでに、蔣介石は自分たち中華民国が中国の正統な支配者であることを自負し、大陸反攻を信じていたことになります。

民主化へ導いたキーパーソン

蔣介石は大陸から行動を共にしてきた外省人を政府の要職につけました。なかでも長男である蔣経国は、軍の政治工作部門や秘密警察のトップとして陰のサポートをし、父の後継者として成長していきました。

日本では蔣介石・蔣経国による蔣家支配の時代を、暗黒の時代であると紹介されることが多いですね。確かにこの蔣家支配の時代は世界最長の戒厳令を敷き、二・二八事件や白色テロを起こすなど台湾の民衆を抑圧したという部分がクローズアップされて語られがちです。実際、台湾のなかでも蔣介石が実権を握っていた時代は暗い時代として捉えられています。

しかし、蔣経国がリーダーとなってからはイメージが違ってきます。それは蔣経国が台湾経済を発展させていき、結果的に民主化への道筋を作った、いわば現代台湾の素地を作った立役者だったからです。

台湾海峡危機が収まった1960年代初頭の台湾は、アメリカや日本からの投資を得て、製品を逆輸入する関係性を築いて経済成長が進み、安定した時代を送っていました。しかしながら、１９６０年代半ばに雲行きが変わります。アメリカからの経済援助が打ち切られ、１９７０年代には中国が国連に参加して国際承認を得る一方、台湾は国連を脱退して国際的に孤立する状況に陥るのです。

その最中の１９７２年に蔣介石の体調が悪化したことで、蔣経国は実質上のリーダーとして政権を指揮することになりました。蔣経国はもはや中国に攻め帰るのは不可能だと気づいていたんですね。そこで国家予算から軍事費などを減らして、国内の産業基盤整備をはじめとする国民生活の向上に向けた投資を行います。外交的苦境による国家存続のピンチに、国民からの支持を失ったらおしまいだという気持ちになった。人材と資本の流出を食い止めるため、蔣経国は大胆な方向転換を図ることになります。

ここから、台湾の雰囲気が次第に変わっていくのです。

国策から始まった半導体企業

１９７３年に行われたこの大規模投資は、のちに十大建設と呼ばれることになりました。まず日本統治下時代の施設をそのまま使っていた交通インフラの整備、さらには石油化学プラントや造船所、製鉄所を建設して、重化学工業を中心とした積極的な工業化へ向かいます。台湾は自国での生産能力を向上させ、アメリカとの関係悪化やこの時期に起きていたオイルショックを乗り越えて、さらなる経済成長を果たしました。こうして同時期に急速な発展をした韓国・香港・シンガポールとともにアジア四小龍、アジアＮＩＥＳ（新興工業化経済地域）と呼ばれるまでになったのです。

アジア四小龍と呼ばれた国々が急速な経済発展をしていったのには、いくつかの理由があります。まず、それまで日本が果たしていた「もの作り」、世界の工場的な役割を担うようになったことが挙げられます。日本中の物価が上昇し、地価も上がった結果、低コストを見込めるアジアの各国・地域へ工場を移転するという流れが起きていたのです。それぞれの政府には産業を規制するだけの力があった。加えて各国・地域ともに教育水準が高く、ノウハウを吸収し発展させる人材が多く存在したことも大きなファクターでした。

その流れのなかで台湾は、大規模投資を行った製鉄・造船などの国営企業を民営化し、貿易の自由化を行うなどの経済政策を行っていく過程にありました。まさにタイミングも良かったことになりますね。

そして、それだけでは終わりませんでした。政府は「これからは電子の時代だ」と睨み、精密部品などのエレクトロニクス産業へ先行投資を行うのです。

その一つの成果が半導体製造です。政府はアメリカの半導体企業に在籍した経験を持つモリス・チャン（張忠謀）を招聘しました。チャンは大陸生まれで香港、アメリカへと渡った人物でしたが、いわゆるお雇い外国人のようなかたちで、台湾政府に引き入れられたのです。そして1987年に台湾積体電路製造、TSMCを設立します。

当初は日本などの大企業から下請けのようなかたちで製造を行っていましたが、パソコンからスマホへと時代が移り変わっていくにつれて、その存在感はうなぎのぼりで増していきます。今や良質の半導体を作るメーカーとして、世界の製造シェアの約6割を占める企業となりました。そんな世界的な企業が当初は国策企業として始まったというのは、驚くべきことだと思います。今や台湾が半導体製造分野で世界のトップを走っていることは言うまでもありません。これら現在に至る台湾の経済基盤となる産業は、だいたい蔣経国から李登輝にかけた国民党政権の時代に基礎が作られたのです。

上と下からの革命

台湾の工業化による経済の発展はのちに「奇跡」とまで呼ばれるようになりました。経済政策が成功していくにつれ、蔣経国はそれまでの国民党独裁体制への限界を感じるようになっていき、政治の自由化、民主化への道を歩むようになります。そして1987年には、ついに世界最長の戒厳令を解除し、外省人たちの大陸への里帰りも許可されました。

民主化への道筋を開いたさなかの1988年に急死した蔣経国は、生前に蔣家の世襲を否定し、憲法に準じたかたちで後継者を選ぶことを明言していました。これによって副総統だった李登輝が後継者となります。

李登輝は台北出身の本省人です。戦時中には京都帝国大学に入学し、学徒動員をされた経験も持ちますが、戦後は台湾へ帰り、台湾大学で農政学者となっていました。1970年代に政府に登用されると、1984年に蔣経国によって国民党の副総統に抜擢、懐刀として晩年の蔣経国を支えた人物です。

李登輝は蔣経国の遺した民主化への道筋を遂行します。1991年に国会を全面的に改選し、翌年には省長などを民選化、1994年には総統選挙も直接選挙化し、2年後に行われた総統選挙では自らが当選することとなりました。

こうした経緯を考えると、台湾の民主化の重要部分は蔣経国と李登輝というふたりのコンビによって成し遂げられた、というのが公平な評価だと思います。もちろん大衆からの民主化を求める運動もあってのことですが、他国の民主化におけるピープルズ・パワーのようなものとは少し違うことがお分かりいただけたでしょう。独裁体制を敷いていた当事者が自分たちの社会を民主化する決断をして、自由を求める社会の動きと呼応しながら流れを作った「上と下からの革命」だったのです。2020年に亡くなった李登輝は生涯、蔣経国について悪口めいたことは一切言わなかったそうです。

民主化へ一体となった時代

蔣経国の跡を継いだ李登輝は憲法改正も行います。そこで大陸と戦争状態にあるという前提を修正していくんですね。簡単にいえば、「大陸反攻はあきらめました」と明言したことになります。これによって台湾内の制度を整備することに力を注いでいきます。

もちろん外省人である国民党の実力者からは強い反発もありました。李登輝は民主化された選挙で自分の味方を増やしていきながら、さまざまな権謀術数（けんぼうじゅつすう）でライバルを潰していく、血みどろの政治抗争を繰り広げながら民主化を完遂したことになります。

1990年代の前半、私も台湾へ留学をしていましたが、この時期の台湾社会が持つ熱気はすさまじいものがありました。国民党のなかで改革派といわれる本省人を中心とした李登輝のグループと、本省人に支持の多い民進党が一体となり、自由化されたマスメディアも一丸となって、民主化の理想に向かっていく時代でした。その熱気を作り出したのは、根源を辿れば、蔣経国が人生の最後に下した判断にあったといえます。

蔣経国は現在も台湾で人気が高い政治家です。「最も好きな政治家は？」といった人気投票を行うと、しばしば蔣経国が李登輝を抑えてトップに挙がります。もちろん彼を軍や秘密警察のトップであり、民衆弾圧の一端を握っていた人物として非難する人たちも相当数います。一方で、国の基盤を確立し、民主化へ導いた後年の功績のイメージを持ったまま死んでいった彼への評価が高いのもまた理解できることです。

その人気の高さは台湾の街に出ると分かります。蔣経国には気さくな一面もあって、街中の店にふらっと現れてラーメンや焼きそばを食べて帰っていくことがしばしばあり、そこでは気軽に民衆と交流する姿が見られました。レストランなどの壁に「蔣経国来たる！」と彼の写真が目立つところに貼ってある光景を、今も各地で見ることができます。

2　中国が持つ台湾統一への意志

ところで蔣経国の時代には、中国も少しずつ変革の時期を迎えていました。

長く中国の最高指導者であった毛沢東は台湾に対して武力による解放を主張してきました。しかし1976年に毛沢東が死去し、文化大革命以後権力を誇った四人組、毛沢東の跡を継いだ華国鋒（かこくほう）が追放されると、鄧小平（とうしょうへい）がリーダーとなります。

台湾統一は中国共産党のドグマ

鄧小平は毛沢東的な台湾統一論から、新たに「一国二制度」「平和的統一」を打ち出します。平和統一論は「主権は中国中央政府にあるけれど、台湾に一定の自治も認めます。それを受け入れれば、武力行使はしませんよ」という意味も込められています。そもそも中国は中央集権国家ですが、地方自治はそれなりに尊重する側面もあります。台湾を共産党政府のもとに置くという意志は変わりませんが、かなりソフトなアプローチです。

「一国二制度」はのちに香港、マカオに対してもとられた方針ですが、もとは台湾に対して編み出されたものです。しかし、このとき蔣経国は「交渉せず、談判せず、妥協せず」という「三不政策（3つのノー）」という方針でつっぱねます。

こういう歴史は、中国と台湾の関係を学べば知ることはできます。しかし、見落とされがちなのは、なぜそこまでして中国は台湾を統一したいのか、という本質の部分です。これが意外に理解されていません。多くの人は「領土拡大の野心だ」と受け止めています。ですが、私からすればそれは的外れです。「一つの中国」論は中国共産党にとって政策や理想ではなく、原則だからです。

原則というのは、何がなんでも絶対に曲げないということです。通常、外交方針というのは「原則」ではなくて「政策」ですね。でも中国はそうではなく、原則だと言う。その意味が重要です。中国にとって、台湾を飲み込むことは絶対に変更を認めない原則、いわゆる信仰に近い、宗教的な教義（ドグマ）となっているわけです。

ちなみに中国は各国との国交樹立の際に、「一つの中国」を受け入れるように要求していました。しかし、アメリカや日本のように、台湾との関係性を考えて、「留意する」「理解し、尊重する」と留保した表現をとった国も少なくありませんでした。中国の原則を「はい、そうですか」とすべて受け入れたわけではないことは知っておくべきことです。

そんな中国のドグマを、台湾の人たちはどう捉えているのかといえば、当然受け入れることはできません。国民党とともにやってきた外省人は国民の約1割。そのうえ時代とともに世代も入れ替わって、二世三世となった外省人の子孫は見たことも行ったこともない中国に、祖国感情を抱けるはずがないですよね。

李登輝が発表した「二国論」

こうした台湾の思いを、時代が後押しします。1980年代には海外輸出の黒字と、世界的な好景気によって、台湾は急速な経済発展を遂げています。さらに民主化を平和的に進めた李登輝は「中国の正統政府は中華民国である」という主張をあえて強くは唱えず、国交のない国を含めて積極的な実務外交を進めます。その時期の中国は1989年の民主化運動を武力制圧した天安門事件などによって、国際的なイメージが大幅にダウンしていました。

初めての直接総統選挙の前年、1995年には李登輝は以前留学していたアメリカのコーネル大学に招待されます。この招待をアメリカの方針転換と考えた中国はアメリカと台湾への抗議の意を込めて、軍事演習としてミサイルを発射し、アメリカは台湾海峡に軍を派遣する事態となります。さらに総統選挙直前にもミサイルを発射、李登輝の当選を阻止しようとしました。これらはまとめて「第三次台湾海峡危機」と呼ばれます。このときは危機を感じて台湾から逃げようとする人々が現れ、株価も下落して大変な混乱が起きました。

直接選挙で総統に当選した李登輝は、1999年に一つの方針を打ち出します。それが「二国論」と呼ばれるものです。「中国と台湾は特殊な国家の関係で、中央政府と地方政府という関係ではありませんよ」という主旨で、もっといえば、台湾独立という見方を避けつつも、台湾と中国は別の国であることを、初めて主張したことになります。この「台湾は台湾として生きていきますから」と読める発言は、中国を激怒させます。

明けて2000年の総統選挙で李登輝は副総統の連戦を後継指名します。ところがそれに反発した宋楚瑜が国民党を離党して無所属で出馬したことで情勢が変わります。結局、国民党支持票が割れて、民進党の陳水扁が漁夫の利で当選、少数与党という立場ではありながらも、初めて民進党による総統に就任しました。中国では2002年に共産党主席が江沢民から胡錦濤に交代し、中台関係は新たな局面を迎えていくことになります。

３　台湾と中国のパートナー関係

強くなるビジネスの結びつき

台南の貧しい家庭で育った庶民派であり、本省人の支持が厚かった民進党の陳水扁ですが、その在任中にすべて中国との関係性を悪化させたというわけではありませんでした。むしろ経済の面においては、結びつきを強くしています。

１９８０年代以降の経済成長によって、当然台湾の景気も上向きます。それとともに、工業生産における賃金やコストも上がっていくことになりました。そこで中国の安い労働市場を求めて、１９９０年代後半ぐらいから台湾企業が中国に合弁企業を設立して工場を建てるようになります。中国も１９７０年代末に経済改革開放政策をとると、一貫して経済規模が拡大を続け、１９９０年代には海外資本による各種工業が発展している時代でした。

これは台湾と中国双方にとってウィン・ウィンの関係でした。中国としてはＩＴ産業で世界の先端を行っていた台湾の技術を取り入れるメリットがあり、台湾には安い人件費で製品を作れるというメリットがあったからです。

現在の習近平（しゅうきんぺい）政権でも、中国に進出する台湾企業、また台湾人の人材に対して優遇措置をとる政策をとっています。この「中国で台湾人が物を作って稼ぐ」というビジネスモデルは、ピーク時には100万人の台湾人が中国で働いていたといわれるまでに膨らみました。台湾の人口が約2000万人（当時）ということを考えれば、その比率は驚くべきものです。この中国進出は、結果的に中国の経済発展にも大きく貢献しました。

台湾では、アメリカや日本だった貿易の中心が中国にとって変わります。陳水扁が政権をとった2000年ごろは輸出の対中依存度が約20%でしたが、政権末期の2008年には約40%近くまで上昇するという数字を残しています。これは現在でもほぼ変わっていませんし、むしろさらに増えています。

国共和解の思惑

こうした台湾と中国の間における民間レベルでの結びつきが強まっていった2000年代、民進党の躍進を見た胡錦濤をはじめとする中国指導部は、簡単には台湾を統一できそうにないことを悟ります。この時期、胡錦濤はあえて一国二制度を強く主張しなくなっていました。するとの2005年に衝撃の出来事が起こります。中国共産党は下野していた国民党の主席・連戦を招いて、「過去のことは水に流して仲良くしましょう」と握手をしたのです。これは「国共和解」または「第三次国共合作」と呼ばれています。

国民党と共産党は思想が違い、それぞれ殲滅（せんめつ）を目指して戦ってきました。しかしこれまで2度手を組んだことがあります。1度目は北京を脅かした軍閥打倒のため、そして2度目が第二次世界大戦時における日本打倒のためです。それ以来の国共合作ということになります。

このときには「どちらも同じ中国なんだから、それをベースに仲良くしましょう。将来のことは将来のことで考えましょう」という実にふわっとした友情関係を結ぶことに落ち着きましたが、実はここに国民党と共産党、それぞれの思惑が隠れています。

まず、国民党の思惑はどうだったのでしょうか。多くの日本人が勘違いするところなのですが、国民党は反共＝反共産主義ではあるけれども、反中＝反中国ではありません。

国民党は蔣介石の時代から反共産主義を掲げて戦ってきました。ただ、中華民国は「中国の政府」だと信じていた。よって、国民党は中国とは何だかんだいっても切っても切れない縁があるという考えが最初からあります。一方で民進党は反中国という面がありますが、とくに反共産主義を掲げてはいないのです。

当時の国民党は２０００年、２００４年と2回連続で総統選挙に敗れ、このまま先細りになってしまうことを恐れていました。もともと産業の自由化を行った国民党は経済界の支持が強く、経済界も国民党を通して中国と親しくしてビジネスチャンスの拡大を狙ったのです。反中国色が濃い陳水扁政権下で中台の経済が近づいたのも、経済界の要望を抑え切れなかったからともいえますね。

一方で中国共産党はこう考えたわけです。反共ではあったけれど、反中ではない国民党と、逆に反共ではないが反中の民進党だったら、自分たちが手を結ぶ相手は国民党だ、と。共産党としては、一気に躍進した民進党を野放しにしたら、台湾は中国に振り向かなくなってしまう、という強い危機感を抱いたのです。

中国の建国の父、毛沢東には『矛盾論』という著書があります。そこでは、まず敵を分断して各個撃破、一つずつ潰していけ、という戦略を唱えています。台湾に国民党と民進党という2つの勢力ができたのなら、まず自分たちは国民党と仲良くして、国民党とともに民進党を潰す。そのうちいつか国民党に統一を受け入れさせればいい、という狙いです。

国民党と共産党は、かつての対日本よろしく、共通の敵である民進党を潰すために和解したということになります。

そしてそれは大きな効果をあげることになります。

中国に対する危機感の表出

２００８年、当時の民進党・陳水扁政権が汚職でイメージダウンしていたなかで行われた総統選挙において、中国との関係改善、交流強化を掲げて馬英九が当選し、念願の政権奪取を果たします。

馬英九は幼いころに台湾へ移住した外省人で、台湾大学、ニューヨーク大学、ハーバード大学で法律を学んだ人物です。国民党に入ってからは党内選挙、台北市長選挙、総統選挙など、選挙で無敗を誇ったことで知られています。

この馬英九政権は、中国との関係強化だけではなく、当時起こっていた世界金融危機からの経済を回復してほしいという期待もあり、国民の高い期待を背負ってスタートしました。ところが、翌年に台湾を直撃した大型台風（八八水災）被害への対応が後手に回り、マスコミからは無能総統とまで叩かれてしまいます。支持率が低下して同年の統一地方選挙でも苦戦しますが、経済が回復したこともあって、それでも総統2期目を迎えることになりました。

2期目も終盤に入った馬英九政権は２０１３年に、中台サービス貿易協定の締結を目指します。投資やサービス業の進出とかのハードルをお互いに下げる協定で、台湾に大きな不利益を与えるようなものだとは思えませんでした。しかし、次第に中国と関係が深くなるなかで、あまりにも接近を急ぎすぎているのではないか、台湾が中国に浸透されてしまうのではないかなどと、国民党の対中融和方針に不安を抱く人が多くなっていきました。

そんな折、馬英九は中台サービス貿易協定の立法院承認を急いだのです。「どうしてそんなに慌てて承認するんだ！」と若い学生たちが抗議の声を上げ、立法院の議場を占拠します。民衆も支持をして大きなうねりとなり、馬英九政権は承認延期を余儀なくされます。

主に「台湾は台湾である」と考える若い世代にとって、習近平体制になって人権を無視するような権威主義化を進めている中国と近づく国民党への危機感が、ここで臨界点を超えたのです。これが「ひまわり学生運動」と呼ばれる出来事となったのは、これまでに話してきた通りです。

台湾に対する不変のドグマ

こうして見ていくと、中国と台湾の関係性は脅威であったり、パートナーであったりと、時代によって変化していることが分かりますね。

そのなかで中国が台湾に対して持つ根底の考えは変わりません。時の権力者による発言の強弱の差はあれど「台湾を統一する」というドグマは、不変のものなのです。

一方で台湾が持つ中国に対する認識は、第二次世界大戦終戦後からだいぶ変わっています。蔣介石が持っていた「中国大陸は自分たちのもの」という考えを息子の蔣経国が最初に弱め、李登輝が捨てるなかで、民主化を果たしました。それから30年以上が経過し、中国とはまったく価値観の違う国になっているのです。

それでも胡錦濤政権までの時代は中台の接近の機運はありました。しかし、習近平政権となってからの中国は日を追うごとに強権的、非民主的になり、中国が台湾へ「もう一度一緒になろうよ」と迫ってきても、台湾からしてみたら「もう自分たちは自分たちの生き方をしているんだから何を言っているんだ」ということになりますよね。とくに近年の香港の状況を見ていれば、当然の感情でしょう。中国と台湾は、かつては夫婦だったかもしれませんが、別居が長くなり、一方（台湾）の感情がすっかり冷めてしまい、もう一方（中国）の思いは何ら変わらず一途に同居へ戻ることを願っている――そんな風に理解できるかもしれません。

次の章では「台湾は台湾だ」という台湾アイデンティティがどのように発生したか、そしてその台湾アイデンティティが当然のものとして育った「天然独」と呼ばれる台湾の新世代の思考を中心にお話ししていこうと思います。

第4章

「台湾アイデンティティ」はなぜ生まれたのか

1　天然独世代が生まれるまで

半数以上が「台湾人である」と考える

　ここで、台湾を深く知るために、現代の人々の考え方と、社会の潮流についてお話をしていきましょう。

　先ほどからも幾度かご紹介した「台湾アイデンティティ」についてです。台湾アイデンティティは、言葉の通り台湾の人々が「台湾は台湾である」「台湾を生きる自分たちは、台湾人である」という認識です。ただし、もう少し厳密に定義をしておく必要があるでしょう。台湾は国民党の独裁政権が長く続いたため、民主化・自由化が果たされる1990年代に入るまでは世論調査というものが存在せず、外部から見て台湾人たちの心のなかがなかなか分からない状況でした。

　1992年から台湾・政治大学選挙研究センターが「台湾民衆重要政治態度」という世論調査を始めます。そのうちの一つの設問が、台湾の人たちがアイデンティティをどう認識しているかというものでした。選択肢は「私は台湾人である」「中国人である」「台湾人でもあり、中国人でもある」の３つです。

ここにそのグラフを引用しておきましょう。１９９２年の最初の調査では、「台湾人でもあり、中国人でもある」と答えた人が46・４％で最も多く、続いて「中国人である」が25・５％、そして「台湾人である」と答えた人が17・６％と2割に満たない結果が出ました。

しかし１９９５年には「台湾人である」と「中国人である」の順位が逆転し、２０００年代後半には「台湾人である」の回答がトップに立ちます。２０２０年の結果を見ると、「台湾人である」の回答が67％、「台湾人でもあり、中国人でもある」が27・５％、「中国人である」と答えたのはわずか２・４％となっています（図表5）。

この結果をもって、われわれは台湾アイデンティティが台湾社会の主流となっている、と判断しているわけです。この民主化以降における台湾人としてのアイデンティティが、狭義の意味での台湾アイデンティティです。

「台湾アイデンティティ」の萌芽

では、広義の意味での台湾アイデンティティとは何か。その萌芽は日本統治下の時代にまでさかのぼります。

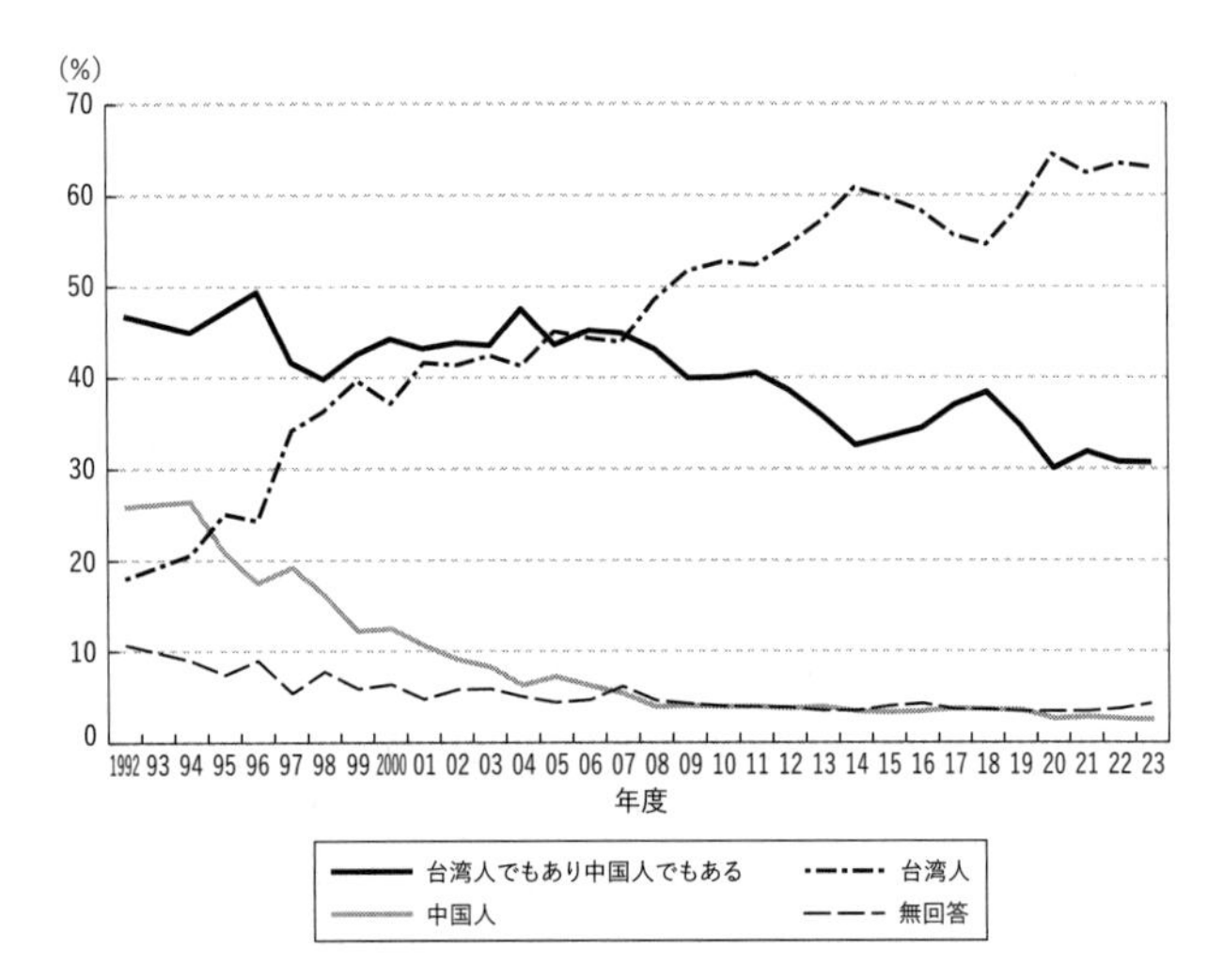

出典）台湾政治大学選挙研究センター「台湾民衆重要政治態度」をもとに作成。

図表5　台湾アイデンティティの変遷

自らを台湾人であるとする答えはここ数年6割を超えていることがわかる。次いで台湾人でもあり、中国人でもあるという答えが続く。

日本が日清戦争で清朝から台湾を割譲させた後、台湾を統治するにあたって、日本人は自分たちと台湾の人々を分けて考えていたわけですね。台湾の人のことを「本島人」、一方で日本から台湾へ来る人たちを「内地人」と呼びました。

それまで清朝の統治下にあった時期は、当然中国との結びつきが強かったのですが、日本の統治下に入ったことで台湾は政治体制的には中国と切り離されて、日本式の社会に変わっていきました。

ただ、完全に日本人として扱われたかというとそんなことはなく、やっぱり本島人という身分は一生ついて回ることになった。そこで自分たちが中国人でもなければ日本人でもないという存在であることを意識したわけですね。

ここで初めて台湾という土地を、そして台湾という土地のなかに生きる人々を固定して考える状況が生まれたことになります。日本の統治が始まると、それに抵抗する民衆蜂起も起こりましたが、やがて日本によるインフラ整備や近代化が行われていくなかで、今度は議会設置など自治を求めていくことを選び始めるわけです。

これが広い意味での台湾アイデンティティの始まりだったと思います。

成熟していく台湾アイデンティティ

日本統治によって中国と切り離されて、日本人とは完全に一体化しなかったというところで、台湾人という存在が浮かび上がった。その認識が社会に広まったころの第二次世界大戦後に、中国本土から国民党がやってきます。

しかしながら、日本的な文明化された教育を受けてきた台湾の人々は、彼らに対して複雑な感情を持ちます。彼らが台湾で見せる言動があまりに前近代的で、野蛮に映ったからです。高いレベルの教育を受けた一部の層は「われわれのほうが優れている」と考えました。一方で、権力的には国民党から抑圧されてしまう。その結果、彼らのなかには「やはり自分たちは台湾人なのだ」という意識がさらに強くなっていきます。

ただ、38年間続いた戒厳令と独裁体制のなかで、台湾において台湾アイデンティティを明確に理論化し、世に発表することは不可能でした。そこで海外亡命者や海外留学者のなかから台湾の独立運動が立ち上がるわけです。

民主化する前の台湾でも、中国のことより、台湾の文化や社会を大事にしようという動きはありました。ただ、独立などの思想を育むところまではいかなかった。当局が睨みを利かせてもいました。

それが、民主化した後に海外で独立運動をしていた人々は台湾に戻れるようになり、自分たちのリーダーを決める選挙も回数を重ねていくにつれ、やはり自分たちは台湾人だ、昔は関係があったかもしれないが今は中国とは別なんだ、という台湾アイデンティティが徐々に成熟してきた。それがこの世論調査の結果に表れていることになります。

生まれながらの独立派

とくに１９９０年代以降に教育を受け、物心つくころから自分たちの指導者を選ぶところを見ながら育ってきた人たちが、20歳になれば投票権を持つようになります。この世代の人々が「天然独」といわれる世代です。その意味するところは「生まれながらの独立派」ということになりますね。

古い世代の人々にとってみると、中国というものは克服しなければいけない存在として立ちはだかっていました。だから「われわれは独立宣言をするんだ」「中華民国を廃止する」などと考えるんですね。

しかし、天然独の世代はそのプロセスを経験していません。ただ目の前に、当然の存在として今の台湾があるんです。だから葛藤もなく、生まれながらにして独立――いいえ、独立というよりは台湾は台湾だと思っている。だから、独立を宣言する必要性も考えない。よって「天然」なんです。

言ってみれば、天然独の人々は別に中国に対するコンプレックスもないし、そこまでの嫌悪感もないことになります。

中国へ働きに行くことにも心理的な抵抗はありません。ただ、かといって中国に永住したいとか、中国に統一されるべきだとも考えません。彼らにとって台湾はあくまで台湾なのです。なので、自国の独立性に影響を及ぼす行動を中国がとったときは立ち上がる。それが若い天然独世代の行動原理ということになります。

若者たちのキーワード「小確幸」

ここ10年ほどの台湾の若者、天然独世代が持つ価値観を象徴する言葉が「小確幸（小さいけれど確かな幸せ）」です。日本の作家・村上春樹がエッセイのなかで使った言葉です。台湾では日本の大学で学んだ頼明珠（らいめいしゅ）という翻訳家によって、1990年代以降に多数の作品が出版され、『ノルウェイの森』は台湾に村上春樹ブームを起こしました。現在でも広く読まれる日本人作家の一人です。

その「小確幸」が出てくる一説を引用してみましょう。

引き出しの中にきちんと折ってくるくる丸められた綺麗なパンツがたくさん詰まっているというのは人生における小さくはあるが確固とした幸せのひとつ（略して「小確幸」）ではないか。

（村上春樹『ランゲルハンス島の午後』新潮文庫）

お分かりいただけるでしょうか。要は、自分の手の届く範囲で幸せな空間を作ろうという感覚ですね。

台湾の教育制度は日本と同じように小学校６年・中学校３年が義務教育で、高校が３年、そして高等教育として大学が存在します。大学は１２０校ほどと人口に比して多く存在しています。民主化以降は教育熱も高く、詰め込み教育の問題も指摘されていました。

しかし近年は少子化の影響もあって以前ほど大学進学が難しいものではなくなり、経済成長の鈍化もあいまって大卒者の就職率も高くはなくなりました。そうした風潮に「小確幸」がはまったということもいえるかもしれません。

最近、台湾はコーヒーショップが流行っています。日本統治時代、台湾はコーヒー豆の産地でしたが、台北などの都市部ではカウンターに5～6席の小さなコーヒーショップが増えつつあります。バリスタ世界大会の王者が出たこともあって、さらに話題を呼んでいます。

こうしたショップをのぞいてみると、若い夫婦が経営している姿がよく見られます。話を聞くと、多くの人が大学へ行って競争をかいくぐって大きな会社に勤めてはみたものの、どうも幸せだとは思えない。それよりも好きなパートナーと好きなコーヒーをいれるための小さな喫茶店を作るほうが幸福だというわけです。

物質的な豊かさよりも、精神的な豊かさを求める「小確幸」を求める若者の姿は、日本にはなかなかない、天然独世代の台湾ならではのライフスタイルだといえるでしょう。

天然独世代の投票行動

さて、よく天然独の世代の多くが民進党支持である、と解説されます。大筋では間違っていないのですが、彼らは無条件で民進党を選ぶという行動はとりません。

民進党の強みは、国民党と戦って、政権を勝ち取ったというレガシーにあります。そのプロセスを知っている60代、50代以上に対しては大きなボーナスポイントです。なので、何があっても民進党に投票するという層が存在します。

しかし、そのプロセスを知らない天然独世代には通用しません。民進党も選択肢の1つにすぎず、気に入らないと票は入れません。ただ中国と近しい国民党に投票する人は少ない。どちらもいい部分がないとなると、投票に行かないとか、第三の政党に入れるなどの傾向も現れています。台湾では政党支持を民進党は「緑」、国民党は「青」で表現しますが、天然独世代は基本的に「うす緑」といえるでしょう。

こうした傾向は、2022年の統一地方選挙の結果に見て取れます。最初に台湾の選挙の投票率は高い、と申し上げましたが、この選挙では一部市長選の投票率が6割を下回るところも出てきました。日本に比べると高く見えますが、台湾としては低い数値だったのです。

これは、若い世代が投票へ行かなかったことが一つの理由だといわれています。国民党にも民進党にも票を入れたくなかったのではないか、とも分析されています。

実際、蔣介石のひ孫に当たる国民党の蔣万安が当選したことで話題となった台北市長選挙では、蔣万安と新型コロナ対策で陣頭指揮をとって名を上げた民進党の陳時中（ちんじちゅう）との一騎打ちといわれていたなかで、第三の政党・台湾民衆党から支持を受けた黄珊珊（こうさんさん）候補が約2割の票を集めました。

といっても、これを若者の選挙離れと断言してしまうのは、拙速な判断ではないかと思います。若者だけではなく台湾社会全体が選挙に注目するのは、常に自国の独立性への危機意識があるからです。

その一つの例として挙げられるのが、中国との関係に端を発した2016年、2020年の総統選挙でしょう。

2 「ひまわり学生運動」と蔡英文政権

中国に近づきすぎた結果

前章でもお伝えした通り、政治を動かすきっかけとなったのが、「ひまわり学生運動」でした。ここでもう少し詳しく紹介しておきましょう。

2期目も終盤に入った国民党の馬英九政権は2013年には中台サービス貿易協定を中国と締結しようとします。この協定を簡単に説明すると、投資やサービス業の進出とかのハードルをお互いに下げよう、というものです。

ただ当時、国民党の対中接近の行きすぎに不安を抱く人は多くなっていました。中国人観光客が街で買い物をしてくれるのはいいが、台湾の不動産も買われている。もしかすると、中国経済の浸透が始まっているんじゃないか――と、中国との関係にメリットよりデメリットを実感し始める時期に入っていたのですね。

馬英九総統のやり方もまずかった。国会日程の都合もあり協定の承認を急いだのです。そこで「なぜ、そんなに慌てて承認するんだ！　ゆっくり議論すればいいじゃないか」と天然独世代の学生たちが抗議の声を上げます。

ヨーロッパでは、ウクライナのマイダン革命を筆頭に、民主運動が盛んになっていた時期でもあり、この抗議は熱く燃え上がります。「台湾は台湾である」という若い世代にとって、習近平体制になって人権を無視するような権威主義化を進めている中国と近づくことへの危機感が、ここで臨界突破したのです。

２０１４年3月17日、日本の国会にあたる立法院で中台サービス貿易協定の審議が行われたものの、一方的に審議が打ち切られたことから、翌日の夜から学生たちは立法院前でデモを行います。これが「ひまわり学生運動」の始まりでした。

平和的な解決へ

台湾のデモは、暴力手段を持つ権威主義体制と闘ってきた経験から、基本的に平和的デモを伝統としています。ですから、この日も立法院前は警備員がほとんどいない状態でした。そこで誰かが「立法院のなかに入ろうぜ」と言い出して、柵をよじ登ります。すると、どうでしょう。すんなりとなかに入れてしまったんですね。そうするうちに、われもわれもとどんどん人が入ってきて、結果的に立法院を占拠してしまった（図表6）。

そこには学生だけではなく、彼らを支持する人たちも含まれていました。そのなかに、現在のデジタル大臣のオードリー・タンもいました。彼女はブロードバンドを立法院内に引き込んで、インターネットを通じて運動の様子を同時進行で発信していきました。

その結果、あれよあれよという間に、当初は誰もが考えていなかったような、国際的に大注目を集める運動になったのです。政府もその圧力に耐え切れず「協定は進めません、だから皆さん解散しましょう」と申し出て、学生もそこで解散するわけです。

この問題のポイントは、政府も強引に学生を排除せず、一歩引いて学生の要求をのみ、平和的に解決したことです。少し逸脱していたとはいえ、民主社会のルールのなかで、天安門運動のような惨事にならず、官と民が互いにゆずり合いながらギリギリの判断ができたとい

図表６ ひまわり学生運動の様子
2014年3月、中台サービス貿易協定の見直しを求め、学生たちが台湾立法院（国会）を占拠。写真提供元：共同

うことは、尊敬すべきところだと思います。

その後、馬英九政権はレームダックに陥りました。２０１４年の統一地方選に敗れると、国民党は２０１６年の総統選挙で朱立倫を擁立して選挙戦に臨みます。しかし、蔡英文を擁した民進党が得票率56%、約６８９万票を集めて圧勝することになりました。

ところで、なぜこの一連の運動に、「ひまわり」という名前がついたのでしょうか。

ひまわり学生運動の「ひまわり」という名前の由来について、ひまわりを誰かが学生たちにプレゼントしてくれたので、そういう名前を運動側がつけた、というのが定説になっています。しかし、いろいろな資料を読んでみても複数の説があるようで、今一つはっきりしません。そこで、運動当時、学生離れしたリーダーシップで一躍有名になった林飛帆（リン・フェイ・ファン）と台北で会い、ひまわり「命名」の経緯について聞くことにしました。

その質問をぶつけると、もう30代になった林飛帆は破顔一笑、「私もよく分からないのです」と言い出しました。

「立法院の議場を占拠して、2日目か3日目だったと思いますが、突然、たくさんのひまわりが議場に持ち込まれました。水や食料などの差し入れのように隅っこに積んでおくことはできないので、議場の演台の前に並べられたのです。私はちょっと場にそぐわないと思って仲間に言って撤去してもらったのですが、翌日にはまた持ち込まれていて。それを見たメディアが『ひまわり運動』と名づけたのです。ひまわりを植えている農家がプレゼントしてくれた、と聞いています。しかし、その農家がどこの誰なのか、その農家からひまわりを受け取った学生が誰なのか、それらも分かりません。一つのミステリーなのです」

ひまわり学生運動から来年3月で10年です。当時のリーダーたちは異なる政党に分かれて政治という戦場で戦っていたり、別の道を歩んだりしています。当時の盛り上がりについて、林飛帆は「それまでの台湾のさまざまな社会運動のエネルギーが一つにまとまったことが大きかった」と述べています。

運動には花の名前がよくつけられます。ジョージアでのバラ革命やキルギスのチューリップ革命などです。台湾でも、さまざまな運動について花で命名する習慣が続いてました。1990年の「野百合運動」は、国民党の一党独裁に風穴を開けた運動として有名です。ひまわり学生運動に関わった若者たちは、その当時の野百合運動のリーダーたちが大学で教鞭をとるようになってからの教え子でした。だからひまわり学生運動にも、当時の第一世代のノウハウが持ち込まれ、運動がスムーズに組織された面もあったのです。

そして、中国と親和的な国民党政権になってから2008年に起きた「野イチゴ運動」は、林飛帆らが最初に起こした学生運動でした。彼らは「イチゴ族」と呼ばれていて、弱いイメージを社会から持たれていましたが、ワイルドの意味の「野」をつけることで、そのイメージへの反論としたのでした。

しかし、ひまわり学生運動を命名したのは、学生ではありませんでした。だから学生の一部は「ひまわり」を冠した名称が好きではないといいます。林飛帆もその一人で、立法院占拠がスタートした2014年3月18日をとって318運動と呼ぶことを好んでいます。また、当時運動に参加したのは学生だけではなかったので、「学生運動」というのも避けているそうです。ですが、ひまわり学生運動という名称は台湾内外で市民権を広く得ているので、それを否定してまで変える必要は感じていないそうです。

台湾が抱える悩み

政治的には着実に前に進んでいるように見える台湾ですが、内実は厳しい部分もあります。先ほどの少子高齢化の問題を例に挙げましょう。台湾の特殊出生率は2020年に1を割りました。同じく少子高齢化が叫ばれる日本の2020年の特殊出生率が1・34なので日本よりも深刻な状況です。

台湾は全体的に給与水準が低いため、共働きをしなければ家庭の生活が成り立ちません。蔡英文政権もこうした問題を解決するために、賃金の上昇、子育て家庭への支援策などを行いましたが、なかなかうまくいっていないのが現状です。

そこで台湾が1990年代ぐらいから積極的に増やしてきたのが外国人労働者です。とくにハウスメイドなど、家庭の手伝いをする労働力を入れることが多いのが特徴です。共働きの社会を維持しなくてはならないため、家で子どもや親の面倒を見てくれる人が必要だということで、とくに東南アジアからの外国人を住み込みで雇っている家庭が目につきます。

台湾では街中で外国人がおじいさん、おばあさんの車いすを押しています。これは日本であまり見ない光景ですね。台湾でも外国人労働者をめぐっては、いろいろな議論があり、常にメディアで取り上げられています。台湾の外国人政策にも光と影があるのは事実です。ただ、外国人の存在をできるだけ可視化させようという試みに社会として取り組んでいる点には、日本も学ぶべき点が多々あるように思います。

孤独死が少ない理由

一方で、24時間体制で住み込みの外国人がいることで、少子高齢化になっても老人の孤独死が少ないことが特徴として挙げられます。

その背景には台湾では家族の絆が強いことがあるでしょう。中国大陸ではもはや薄れている、儒教社会の伝統が台湾には根強く残っているのです。儒教でいちばん大事な孝行、孝順の教えですね。

台湾の社会で最も相手を怒らせるののしりは、親を侮辱すること。「親の教育がなっていないから、お前はこんなひどい人間なんだ」という言葉だそうです。ですから、メイドを雇ってでも親の面倒を見てもらいますし、ちょっとしたことでもLINEなどで親と連絡をとり合います。親が孤独死などしようものなら、親殺しのレッテルを貼られてしまう。それが一つのセーフティ・ネットになっているのです。

私も新聞社の台北支局長時代に台湾人の部下を持っていましたが、何があっても家の用事を最優先することは、ちょっとしたカルチャー・ショックでした。中国でも儒教的な考え方がだいぶ薄れています。なので、中国から台湾にやってくると、「台湾にこそ真の中華文化が残っている」と驚くそうです。

もう一つの理由は、人間を孤立化させないコミュニティがあることです。とくに地方では近所の関わり、町内会長の強さがあります。先ほど町内会長にあたる里長も選挙で選ばれると述べましたが、「里」の人々をかいがいしく世話する人が里長に選ばれます。

自分の「里」に誰が住んでいるかをすべて把握して、問題が起きたらすぐに乗り出して解決する。田舎へ行けば行くほどこうしたコミュニティが強く機能し、老人を孤独死の危機から守っているということになります。

若者の政治参加とジェンダー平等

台湾はアジアのジェンダー平等先進国ともいわれています。実際に、世界経済フォーラム（ＷＥＦ）によるジェンダー不平等指数（ＧＩＩ）ランキングでは世界6位とアジアトップの位置を占めています（ランキングが高いほど、ジェンダーの不平等がないことを示す）。

民主化の流れで、人権などの価値観が重要視されていくなかで、１９９０年代ころから教育現場におけるジェンダー平等プログラムが進められ、２００４年には「ジェンダー平等教育法」が成立しています。

台湾では小学生からジェンダー平等について教えられますから、若い世代の意識が高いのもうなずけます。こうした風潮のなかで、２０１９年にアジア初の同性婚を認める法律「同性婚特別法」が施行されたのです。

ただ、施行前に行政院が行った世論調査では、法律施行に賛成の割合は37・4％でした。国民党の大きな票田とされる50代以上の高年齢層に反対が多かった。しかし、若年層は「同性婚特別法」を高く支持していました。若年を支持層とする民進党が、同性婚合法化を推進したのはそのためです。

日本と比較してみると、その違いがはっきりします。『日本経済新聞』が２０２３年2月

図表７　選挙にも熱心な台湾の若者たち
著者撮影

27日に同性婚に関する世論調査を行ったところ、65%の人が賛成を唱えました。パートナーシップ制度を作る自治体も増えています。それでも日本では法制化されません。なぜなら現政権与党の自民党支持層が反発しているからです。

自民党の支持率はせいぜい国民の3割ほどです。世論の半分以上が支持している同性婚に関しても、3割の支持の自民党の反対で成立しない。同じ民主制度なのに、台湾とまったく逆の結果が出ているのです。

日本の若者たちは選挙に興味がない。その理由はどうせ自分の意見が通らないとあきらめているから、といわれます。でも、どうでしょう。あきらめているからこそ、政権は票田である老人層が喜ぶ政策ばかり取り入れて、若い世代の未来に希望が見えなくなる。この閉塞感を打ち消したいなら、選挙で願いを叶えるしかないのではないでしょうか。

選挙によって世の中を変えていく民主主義という意味では、日本は台湾を見習うべきところが大きいと思います（図表7）。

3 迫る中国の「一国二制度」

香港で起きた雨傘運動

こうした若者に支えられて政権に就いた1期目の蔡英文総統でしたが、2018年の統一地方選挙で、まさかの敗北を喫することになります。

政権は脱原発を掲げてきたにもかかわらず、この年に電力ひっ迫を受けて再稼働を認めざるを得なくなりました。加えて経済成長率が鈍化するなど、いくつかの小さなエラーが積み重なっての結果でした。これを受けて蔡英文はいったん民進党の主席を辞任します。

こうして、来る2020年の総統選挙に暗雲が立ちはだかった2019年、香港で大規模なデモが起こります。

この前段とされるのが、2014年のひまわり学生運動から約半年後に起きた、香港の「雨傘運動」でした。香港で、3年後に行われる行政長官選挙に、中国政府が民主派の候補者を除外する決定をしたことから起こりました。

1997年に香港が中国に返還された際、中国は一国二制度の名の下に社会主義制度を50年は施行しないと明言していました。しかし、2012年に習近平政権となってから、香港に対する一国二制度の立場を脅かすような政策をとるようになりました。このころから少しずつ、一国二制度が抱える矛盾のなかで、香港アイデンティティが高まっていったのです。

そういった意味で、この雨傘運動と台湾のひまわり学生運動は、双子の運動といってもいいものでした。実際、雨傘運動にはひまわり学生運動に加わった台湾の人たちが、運動の方式や理論的な部分で、サポートを行っていました。

しかし、戦う相手が違いました。ひまわり学生運動の相手は台湾政府でしたが、雨傘運動の相手は中国政府だったのです。中国政府は妥協をするどころか、この運動を徹底的に無視。台湾と香港の運命は真逆のものになってしまいました。

香港民主化デモの追い風

この時期、台湾と香港は中国の圧力に向き合いながら、どうやって自己決定権を実現していけばいいのかという共通の課題に向き合っていたといっていいでしょう。

こうした空気のなかで２０１９年に香港で起こったのが逃亡犯条例改正反対デモでした。

前年、台湾で殺人を犯した香港人の犯人が香港で逮捕されますが、現場が台湾だったために香港で殺人罪では裁けません。その身柄を台湾へ引き渡す条例がなかったことがきっかけで、香港政府は逃亡犯条例の改正を計画します。しかしこの条例が通った場合、中国本土との犯人引き渡しもできる可能性が分かった民衆が立ち上がったのです。

デモ隊は台湾と同様に一時は立法院になだれ込みました。これに対して警察も応戦。10月にはデモ隊に実弾が使われるなどエスカレートの一途を辿り、中国政府からの圧力も強まりました。

そんななか、当然のことながら台湾でも、あらためて中国の脅威を感じるようになっていました。そのうえで、蔡英文も香港民主派の支援を明言します。台湾の建国記念日には蔡英文が演説し、一国二制度をきっぱりと拒否しました。この香港民主化デモが蔡英文政権にとって追い風となり、形勢不利と見られていた２０２０年１月の総統選挙、立法委員選挙に勝利し、2期目の政権を担当することになったのです。

その後も香港に対する中国の圧力は続きました。5月に開かれた中国の全国人民代表大会（全人代）で「香港国家安全維持法」が定められ、6月30日から施行されました。政府への反対運動を取り締まる法律です。中国がとった一連の行動に対し、欧米諸国をはじめとする国際的な反発が起こったのは、皆さんもご存じでしょう。

片想いの先に

習近平は2013年の国家主席就任以降、中台の交流強化を訴え、台湾に向けて「両岸（中国と台湾）の同胞はどれほど風雨を受けても、はるか長い時間の断絶を経ても、いかなる力もわれわれを分けることはできない。なぜなら、われわれは骨の髄までつながっている同胞兄弟であり、血は水よりも濃い家族なのである」というメッセージも送っています。

しかし、関係性は悪化の一途を辿っています。考えてもみてください。もう中華民国が本土から台湾に逃れて70年以上経っているのです。台湾の人たちにとってみれば、見たことも行ったこともない中国に、「同胞」や「家族」といった祖国的な感情を抱けるわけがない。台湾がいつまで経っても近寄ってこないと感じた習近平が苛立ちを感じて台湾への侵攻をしないとも限らない、という危機感が高まるのは、当然のことかもしれません。

いくらなんでもそんなバカなことをするわけはない。中国の経済的なダメージも大きいうえ、国際的に評判を落とすことになる行動に出るわけがない、と思います。ただ、ロシアによるウクライナ侵攻を目の当たりにしてしまった今、台湾を統一することが宗教における「ドグマ」のような位置づけで、そこには明確な合理性がありませんね。だからこそ、中国が台湾へ侵攻する可能性は、まったくのゼロであるとは言い切れない部分があるのです。

２０２２年8月、アメリカのナンシー・ペロシ下院議長（当時）が台湾を訪問しました。これはアメリカが国交を閉ざしてから最高位の政治家の訪台でした。

事前にこの訪台の可能性をメディアが報道したことで、米中首脳会談で習近平はジョー・バイデン大統領に「火遊びすれば身を焦がす」と警告していたにもかかわらず、ペロシの訪台は決行されました。

メンツを潰されたかたちの中国は、「台湾海峡の緊張の全責任はアメリカが負わなくてはならない」と強い批難のコメントを残し、台湾周辺で大規模な軍事演習を行いました。これによって、台湾の世論としても中国のプレッシャーはより強まったと感じています。

もちろん、日本にとっても無視できない状況にあります。それは、隣国であるという地理的な観点、アメリカがバックにいるという安全保障的な観点だけではありません。近年の日本と台湾との関係は、これまで以上に深くなってきているからなのです。

台湾は「親日」と言っていいのか

1 「親日」になる台湾人と「親台」になる日本人

キーワードは「好客」

日本人は台湾を「親日の国だ」といいます。台湾社会に日本への親しい感情があることは確かです。しかし、それだけでは片づけられない複雑さを孕(はら)んだ関係でもあります。ここからは日本と台湾の関係性について解説していこうと思います。せっかくなので、私が新聞社の記者として台湾に滞在していた経験も含めて、台湾の人たちの日本への感覚を中心にお話ししていきましょうか。

台湾の親日はハンバーガー構造だと私はよく語っていました。10年前ぐらいまで。日本の統治時代に生まれ、教育を受けた人々は、日本への皮膚感覚的な親近感を持っていました。言語、風習、価値観。日本色に染め上げられる幼年期を過ごしたのです。心のなかに「日本」がすっかり住み着いていて、それを否定するよりは、肯定したい——それが人間というものです。

日本が台湾を放棄してからは、中国式の教育が行われました。しかし、日本以上に強圧的な統治を行った国民党政権への不満も根強く、心のなかの日本は消えることはありませんでした。彼らが親日第一世代で、ハンバーガーの上側のパンの部分です。

では下側のパンはというと、１９９０年代に開放的になっていく社会で、日本文化のシャワーを浴びて、それが娯楽の中心となって生きてきた人々です。

加えて台湾では経済が安定するにつれ、ここ20年ぐらいで、休日に旅行をするライフスタイルが根づいてきています。当初は国内旅行が主流でしたが、やはり国土が狭いことと、割高であることもあって、旅行先を国外へ求めることが増えていきました。

最初は中国本土、そして距離の近い日本への旅行が増加していきます。２０１２年以降その動向は顕著となり、ピーク時の２０１９年には約４８９万人の台湾人が日本を訪れています（日本政府観光局＝ＪＮＴＯ「国籍／月別 訪日外客数」より）。蔡英文政権以降、中国が台湾への旅行客を制限したこともあって、台湾人の出国先として香港・マカオを除いた中国よりも多い約３割のシェアを誇るまでになりました。

これだけ日本に行けば、人々は親近感を強めるわけです。日本の清潔さ、日本人の礼儀正しさ、食事のおいしさ、温泉の良さ、桜や紅葉の美しさ。台湾人の口からは次々と日本称賛が溢れ出てきます。彼らは現在、50歳以下の人々で、第一世代とは違った感覚で日本への好感度を持っています。

では、この第一世代と第二世代に入らない人々がいます。それが50歳から80歳ぐらいの人々で、彼らは戦後の国民党統治を良くも悪くも受け止め、そのなかで成長し、生きてきた人々です。彼らはいわゆる「抗日史観」に基づく教育も経験し、日本語にもあまり親しんでおらず、若いころの日本旅行や日本文化の経験も限定的です。

台湾の民主化を果たした李登輝はいうまでもなく第一世代ですが、その後総統になった陳水扁、馬英九、蔡英文の3人の総統はいずれも親日的な感情が強くはない世代の人々で、日本との関係においても、外交上は日本を重視するものの、日本が好きだということを感じるかというと、個人的には私はそういう印象を持っていません。

ですから、老壮青でいえば、ハンバーガーの具（非親日）の壮年を、親日の老年・青年で挟んでいるような構図でした。そして、忘れてはならないのは、老年の「日本語世代」は人生の舞台から去って世代的に次第に先細りしていき、青年世代がマジョリティになり、壮年の世代も、昨今の情勢から、当然中国へは失望を強め、日本には好感を持つようになっていきます。このハンバーガー構造はかなり崩れつつあります。

日本のアカデミズムの一部には「台湾を親日と呼ぶ」ことに違和感を感じる人々もいます。

私も、台湾と日本との間の複雑な歴史を知らずに、単純に「親日、親日」と有り難がるのはどうかと思います。しかし、世論調査を見れば分かるように、台湾での日本の好感度は高いものがあります。その客観データをもとに「親日」であると論じることは事実に基づいているので、何ら問題はないでしょう。「日本に強い好感を持つ社会」などと言い換えてもいいですが、それも面倒です。大事なのは、外国人が他国の人々の思いを政治的な立場やイデオロギーに基づいて強引に論じないことです。

データをご紹介しましょう。台湾の大使館にあたる日本台湾交流協会が何年かに一度行っている台湾の対日世論調査があります。

２０２１年度の調査によれば、「あなたの最も好きな国はどこですか」という質問に対して、60％の人が「日本」と答えています。第2位は意外ですが「中国」で5％、第3位は「アメリカ」で4％。基本的に日本がぶっちぎりで好かれていることは間違いありません。アメリカは台湾では意外ですが人気がありません。歴史的にアメリカから持ち上げられたり、裏切られたりと、いろいろ嫌な体験もあったからでしょう。頼りにしているけれども、好きかどうかは別というところがあるのです。それに比べて、日本は、安全保障や外交などの利害が大きくは絡まないからこそ、シンプルに「好き」と言ってもらえるのかもしれない。有り難いことです。

　他方、今の日本も「親台」と論じてもまったく問題はありません。日本人の台湾旅行は増加して、2019年に台湾を訪れたのは約217万人（台湾交通部観光局調べ）となり、同年のエイビーロード・リサーチ・センターの調査によれば、人気旅行先のトップに5年連続で台湾が選ばれています。

　こうした変化には、海外旅行というものに対する日本人の価値観が変わってきたことが要因となっています。ひと昔前であれば、海外旅行は何がなんでも欧米へ、という感覚がありましたね。しかし、近年は旅のなかで自分がどんな時間を過ごすかが目的になってきた。限られた休暇のなかで、自分がエンジョイできる空間を欲するようになったわけです。となると、台湾の狭い国土がマッチした部分があったのではないかと思います。

　また台湾旅行が人気となるもう一つの要因として、台湾ならではのホスピタリティも挙げられると思います。台湾には「好客（ハオカー）（hào kè）」という言葉があります。日本語に訳すと「おもてなし」に近い意味になるでしょう。日本もおもてなしの国と自称していますが、台湾の好客とはちょっと違います。

　日本のおもてなしといえば、一律に礼儀正しい対応が求められますが、これは見方によっては形式的な冷たいものに映ってしまうこともあります。一方で台湾の場合、かたちは二の次にして、とにかく徹底的に相手がもういいと思うほどまでもてなす態度を大事にする。そうしたサービス精神が、訪台客の心をつかむポイントかもしれません。

同調圧力の少ない風土

こうした台湾人のホスピタリティが生まれたのは、その地理的、歴史的な影響が大きいと思います。

お話ししてきた通り、台湾へはさまざまな場所から、多くの人々が移り住んできました。ですからお客さんには台湾を好きになってもらって、自分たちの生存空間を守ってもらうという文化が根づいている。冷たい言い方をすると、お客さんには優しくしておいたほうが得だという生存戦略なのです。

私の体感としては、台湾人は日本人に対してはとくに優しい。ほかの人たちの国を冷たくしているわけではないんですが、日本人と分かると5割増くらいで優しくなります。ですから台湾へ行けば、やはり気持ちがいいですし、台湾を好きになります。

あと、特筆すべきは食事のおいしさです。そもそも食材が豊富なこともありますが、蔣介石の影響も大きい。蔣介石が本土から逃れてくる際に、中国文化の正当後継たらんとして故宮の美術品を持ち込んだというお話をしましたが、一流の料理人も共に台湾へ連れてきました。中国本土のさまざまな料理が台湾で堪能できるのですね。

留学先として台湾を選ぶ学生も増えてきています。コロナ禍前の2018年度は約5900人、日本人学生の留学先における5・2%を占めています（独立行政法人日本学生支援機構＝JASSO調べ）。ここ数年の台湾のインフレと円安で一概にはいえませんが、他国に比べて台湾の一流大学の学費が比較的安いことも影響しているといわれています。

日常生活を送るのにも、台湾はとても快適な土地です。先ほど挙げたホスピタリティの一方で、台湾は日本に比べて同調圧力が弱く、気軽に生きていける社会風土があるからです。もともと多民族・多言語の土地でしたから、そもそも同調させようとする素地がない。だから台湾の人々は、それぞれの違いを本能的に受け入れているのです。日本のような世間体を気にせずに行動できるわけですね。

私の知っている限りでいうと、日本のビジネスパーソンは、支店長として台湾にやってくると、日本に帰りたがらない人が多い傾向にあります。50代くらいまで同調圧力の強い日本の企業でもまれて疲れ果て、ある程度の「上がり」的なポジションで台湾に行く。すると、とても居心地がいいので、会社に頼み込んでなるべく長く居つかせてもらい、それが叶わないと会社を辞めてまで定住するという人を何人も見てきました。

「会社を辞める」ことが日常茶飯事の台湾の人たちは自然に迎えてくれます。他人がどんな人生を歩もうが知ったことではなくて、それよりも今自分と仲良くできるか、楽しくご飯を食べられるかに関心があるんですね。

私自身も、２０１６年に新聞社を退社してジャーナリスト活動を始めたとき、日本では「辞めたあとはどうするの」「生活は大丈夫ですか」などと、ある意味で親切だけれど、ある意味ではイラッとくるような質問を多くの人から聞かれました。そういうことを言う人に限って、具体的に何か応援してくれるかといえば、そういうことはなかったように思います。台湾では、会社を辞めたと言ったら、ほとんど「ふーん、そうなんだ」という反応でスルーされ、なかには「おめでとう」などと祝福してくれる人もいました。

そんな不思議な風土に、ほれ込んでしまうわけです。まだ定住しているわけではありませんが、私もそのクチかもしれません。ちょっと私ごとが多くなりましたね、失礼しました。

きっかけとなった日本のカルチャー

台湾の人々が日本に興味を持つ理由としては、カルチャー面での影響が挙げられます。先に挙げた村上春樹などの小説のほか、1990年代には日本のアイドルや宇多田ヒカルなどのJ-POPが台湾でも流行しました。さらに『クレヨンしんちゃん』『名探偵コナン』『ONE PIECE』などの漫画や、そのアニメ化作品なども強い影響を持っています。

意外なところでは、志村けんさんの人気です。まだ戒厳令が敷かれていた時代は、国民党政権によって台湾の人々の娯楽も制限されていました。それが1980年代からレンタルビデオショップが流行し、海外からこっそり持ち込まれたテレビの録画や海賊版のビデオが出回ります。そこに志村けんさんのビデオもあったのです。台湾の人々には彼の番組が革命的に映りました。さらに社会が民主化されていくなかで、「変なおじさん」などの言葉の壁を越えた笑いは自由の象徴として、台湾の人々の心をとらえたのです。2020年に彼が新型コロナで亡くなった際には、蔡英文総統がTwitter（現：X）で追悼のコメントを出したことからも、その影響力はお分かりいただけるかと思います。

ほかにも、ここ数年は韓流に押されがちですが、テレビドラマも人気です。とくに近年だと、宇多田ヒカルの曲から発想されたNetflixのドラマ『First Love 初恋』は大きな話題となりました。舞台となった北海道の風景へのあこがれ、そして作品で描かれる雰囲気にどこか親近感を得ることができたのです。

台湾の人たちは「中国人とは言葉は通じるけれど話が合わない。日本人とは言葉は通じないけれど話が合う」という言い方をします。そのいわゆる「親日」の空気感というものは、文化的な影響が及ぼした側面も大きいのではないかと考えられます。

そう考えると、台湾の訪日客が多いのもうなずけます。約2360万人の人口で年間500万弱の人々が訪れるわけですから、その多さは突出しています。その人気のため旅行会社では日本ツアーが組まれて比較的安価で行けることもあり、リピーターが多い傾向にあるのも一つの要因でしょう。

また、リピーターが多くなるにつれ、人気ドラマの舞台をめぐる聖地巡礼的な旅行や、日本人でも行かないような秘境を訪れて、日本の旅を楽しんでいる人も増えているといいます。コロナ禍が一段落し、円安もあって再び訪日客が増えているようです。

台湾を知れる文学・映画

日本のカルチャーが台湾に根づく一方で、近年流行したタピオカミルクティーをはじめとする食文化は当然のことながら、台湾の総合型書店・誠品生活が東京・日本橋にオープンするなど、さまざまな台湾のカルチャーも日本に輸入されています。

とくに書籍／映画といった台湾の歴史を知ることができる作品が、日本語で読む／観ることができる状況にあることは、多くの人に知ってほしいところです。

まずは書籍からご紹介しましょう。近年台湾政府は文化輸出を奨励していて、文学と出版産業を盛り上げようという機運が高まっています。

文化部（文化省）の初代大臣となった女性作家・龍應台が書いた『台湾海峡一九四九』は、国共内戦に敗れた国民党が台湾にやってくる時代に生きた人々にスポットを当てた歴史ノンフィクションで、台湾で10万部を超えるベストセラーとなりました。

これを翻訳し、日本に紹介したのが天野健太郎という翻訳家で、１９７９年の台北を舞台にした呉明益の短篇小説集『歩道橋の魔術師』、同じく台湾の歴史を垣間見ることができる長篇小説『自転車泥棒』なども訳されました。天野さんの早世が惜しまれます。

ほかにも医師出身で歴史小説家の陳耀昌による作品シリーズが日本でも続々と刊行されています。『フォルモサの涙』『フォルモサに咲く花』『フォルモサに吹く風』などで、いずれも日本統治の始まる19世紀に、世界の新しい潮流＝帝国主義に巻き込まれる台湾の史実をもとに激動の時代を描き出す歴史ノンフィクションで、台湾では連続テレビドラマになるなど高い人気を集めています。

映画においては1980年代以降、台湾ニューシネマが台頭し、『ヤンヤン 夏の想い出』でカンヌ国際映画祭監督賞を取った楊徳昌（エドワード・ヤン）、二・二八事件を取り扱った『悲情城市』がヴェネツィア国際映画祭グランプリを受賞した侯孝賢（ホウ・シャオシェン）など、多くの人材が輩出されるようになりました。『グリーン・デスティニー』でアカデミー外国語映画賞を受けた李安（アン・リー）をはじめ、才能の多くは海外へ進出しています。

台湾国内マーケットを活性化させたのは、魏徳聖（ウェイ・ダーション）監督が2008年に撮った『海角七号　君想う、国境の南』でした。魏徳聖は楊徳昌、そして日本の林海象（はやしかいぞう）のスタッフを務めたこともある人材で、『海角七号』は台湾映画として歴代最高の興行収入を叩き出したことで知られます。

魏徳聖の作品は、一貫して日本の統治下時代をテーマにしており、セデック族による抗日暴動・霧社事件をテーマとした『セデック・バレ』、戦前に日本人・台湾人・高砂族の3民族による嘉義農林チームが、夏の甲子園で決勝まで進んだ実話をもとにした『KANO 1931海の向こうの甲子園』（脚本・プロデュース）などは日本でも比較的簡単に観ることができる作品です。日本と台湾の関係を単なる善悪で描かず、歴史に翻弄される人々の姿を描いているので、台湾に対する理解を深める一助になると思います。

義援金が250億円以上集まった理由

さて、台湾を「親日の国」として多くの人が認識するきっかけとなったのは、2011年に起こった東日本大震災への対応ではないでしょうか。これは日本への友情の証、とくに台湾でたびたび起こる地震や水害で救援をもらった恩返しの意味も込められているでしょう。2360万人ほどの国から、約73億台湾ドル（現在のレートで250億円以上）もの震災義援金が送られるという、政治家やメディアがいくらがんばってもできない行動です。

この驚くべき数字は、単なる親日という言葉だけでは説明がつかない部分がありますよね。この背景にも、台湾特有の文化が見えてきます。

誤解を恐れずに言うと、これだけの義援金が集まったのは、震災に苦しむ日本を助けようという「ブーム」が起きたことが大きいのです。台湾はブームに乗りやすい国民性があります。先ほど述べたように同調圧力はないにもかかわらず、一度「いいことだ」と考えたことには、一気に乗っていく社会の空気があるわけです。

実は、２００８年に中国で起きた四川大地震に対しても、台湾からおよそ70億台湾ドルの義援金が寄せられています。その際も、東日本大震災のときのように社会全体が高い同情心に包まれました。地震が起きた当時は馬英九政権が選挙で勝利を収めた年で、中台関係改善の機運が高く、中国への関心も高いものがありました。

日本への義援金も大変有り難いものであることはいうまでもない一方で、「親日だから」というだけで受け止めるだけではなく、台湾の国民性という部分から分析してもいいと思います。台湾の人たちに「震災のときはありがとうございました」と伝えると、意外と当時のことを覚えていない人も多いのです。

いずれにせよ、台湾は一つの関心ごとに対して突き進む、ワン・イシューの国なんですね。ですから、政権に問題が起きれば反対票が集まって政権交代が起こる。２０２２年の統一地方選で民進党が大敗したのも、社会の空気によるものが大きかったですし、新型コロナ対策が迅速に浸透したのも、こうした台湾ならではの「ノリの良さ」という特色が発揮されたといえるでしょう。

2 日本人を振り向かせた立役者

戦後の米日台関係

さて、台湾と日本の関係について、これまでのおさらいも含めることになりますが、もう少し歴史をさかのぼって見てみることにしましょう。

日清戦争以後、台湾は日本の統治下にありました。当然ながら最初は抗日運動もありましたが、50年の時間というものが、その感情を少しずつ変えていきました。その間、多ければ3つぐらいの世代が入れ替わって暮らしていくなかで、日本が行った文明化の施策が成果として見えてくるようになったからです。教育やインフラを根づかせたという意味と、その後の国民党政権の乱暴さによりさらに相対的に日本時代への思慕（しぼ）が強まったこともあって、日本統治に対する評価はマイナスよりプラスが目立つものとなっています。

植民地統治の是非はいろいろ議論があると思うのですが、英国の香港統治を見てみても、香港人が英国を恨んでいたかというと、そういう感じではありません。人間ですから、一つの政治体制が定着するにあたって、第一世代は反発し、第二世代は徐々に受け入れ、第三世代は当たり前のものとする、というような時間経過による変化もあるのではないでしょうか。その間に極端な搾取や弾圧があれば別ですが、相対としてその地が豊かになっていくメリットが被統治者の側にあれば、時間の経過に従って「慣れ」は大きくなる。

さて、第二次世界大戦が終結すると、台湾は中華民国統治の下に置かれます。ただ、国共内戦によって国民党は台湾に逃れ、共産党は中華人民共和国を建国します。

当時アメリカのハリー・S・トルーマン政権は共産主義の拡大を懸念していました。1950年に国務長官ディーン・アチソンはアジア太平洋戦略として、日本、沖縄、フィリピン、アリューシャン列島を結んだ防衛ライン「アチソン・ライン」を設定します。

しかし、台湾・朝鮮半島・インドシナ半島などへの介入については態度が不鮮明だったため、結果的に朝鮮戦争の引き金を引いてしまう結果になりました。このとき、アジアでの共産主義拡大を恐れたアメリカは手のひらを返す形で反共産主義の国民党を支援し、台湾防衛のための艦隊を台湾海峡へ派遣することになります。

日本もアメリカに追随するかたちで、1952年に台湾の国民党政権と日華平和条約を締結します。アメリカは1954年には台湾と正式な同盟条約である、米華相互防衛条約を結んで手厚い支援を行うようになりました。

「漢賊並び立たず」

その後、2度の台湾海峡危機を経た1960年代後半になると、台湾には事実上大陸反攻の可能性がなくなってきます。その間、ベトナム戦争に行き詰まっていたアメリカのリチャード・ニクソン政権が、その打開案として中国との関係改善をはかったのです。それが1972年のことでした。日本も後を追うように田中角栄首相が中国を訪問し、日中平和友好条約を結びます。

日本としては、経済的な面も含めてすでに台湾との交流が活発化していましたから、中国と国交を正常化しても、台湾との国交を断絶する必要はない、という考え方もありました。しかし、台湾側は「漢賊不兩立（漢賊並び立たず）」と言って、中国と肩を並べることを拒否していました。総理大臣時代から親台派であった岸信介が蔣介石の説得に当たったという話もありましたが、結局アメリカ・日本をはじめとする国々と国交を断絶、国連も脱退し、台湾は孤立の道を歩むことになります。

しかし国交を断絶したとはいえ、アメリカや日本が台湾とまったく交流しなくなったかといえば、そうではありません。これは皆さんご存じの通りですよね。

アメリカにとってやはりアジア太平洋戦略上、台湾が重要な拠点であることには変わりありません。ですから、ジミー・カーター政権下の１９７９年に中国と国交を結ぶとき、台湾関係法という法律を立案します。要は、国交がなくなって、軍が台湾に駐留できなくなったものの、台湾を守れるような最低限の保障をしてあげるべきである、という法律です。武器を台湾に売って支援をすることはできますが、台湾を防衛することを保証するものではないという、中国との関係も考えた、なんともあいまいな戦略をとり続けているのです。

中国も台湾関係法には大変不満だったようです。ですが、その当時、中国はまだまだ経済力でも軍事力でもアメリカに太刀打ちできません。とにかく我慢、ということでした。もし今のアメリカが同じことをやろうとしたら、なんとしてでも潰そうとするでしょうね。

最近日本でも「日本版台湾関係法を作るべきだ」という声があります。仮にそれが軍事面での協力に及ぶようなものであれば、中国は死にもの狂いで阻止するでしょう。今の中国の実力からすればそれは可能です。日本も１９７２年にやっておけばよかったですね。外交という世界の想像力において、日本はアメリカにはるかに及ばなかった、ということです。

ただ、日本も台湾とは交流を続けているわけですね。国交はなくても日本側は「日本台湾交流協会台北事務所」、台湾側は「台北駐日経済文化代表処」という実質的な大使館を置いています。それぞれの人々は自由に旅行もできますし、ビジネス上のパートナーとして現在も人間の行き来は活発です。

日本兵として従軍した李登輝総統

ただ、日本国内で台湾についての情報は断交によってさらに少なくなりました。日中友好の大きな流れに埋もれてしまった、という面もあったでしょう。その証拠に、断交後、日本で台湾についての一般的な解説書はほとんど刊行されていません。台湾出身の歴史研究家の戴國煇（たいこくき）による岩波新書『台湾』が出版されたのは1988年です。前年に戒厳令が解除され、台湾の民主化が進む時期でした。この年に、台湾総統となったのが李登輝です（図表8）。彼の登場が、日本における台湾への関心を高めることになりました。

李登輝は1923年に台北州（現在の新北市）で生まれた、漢民族の一派である客家にルーツを持つ本省人です。1942年に日本の京都帝国大学（現：京都大学）の農学部へ入学し、農業経済学を学びます。ですが、学徒動員で日本軍へ従軍、東京大空襲を経験することになります。戦争中には日本兵として約20万人の台湾人が従軍し、うち約3万人が戦死していますが、李登輝はその台湾出身日本兵の一人でした。

図表8　初めて直接選挙となった総統選挙で当選した李登輝

李登輝に反発を強めていた中国は、この選挙前にミサイルを台湾近海に発射、第三次台湾海峡危機が勃発した。写真提供元：ロイター

戦後、李登輝は台湾へ戻ることを決意します。そして台湾大学を経てアイオワ州立大学に留学。再び台湾に戻って農林庁の技師、台湾大学の講師になります。さらにコーネル大学へ留学して博士号をとるなど、農業のエキスパートとして活躍します。そのなかで蔣経国と知己を得て国民党へ入党、のちに蔣介石の跡を継いだ蔣経国を支え、台湾民主化へのレールを敷いた立役者の一人として活躍します。

当初、台湾社会では李登輝が総統になると見抜くような人はいませんでした。ヌーボーとした風貌で、敬虔なクリスチャンである彼は、学者出の農業技術官僚と目されていましたし、蔣経国時代は従順に命令を聞き、権力を担うタイプだと思われていませんでした。そんな人間が、蔣介石の妻である宋美齢や党内ライバルたちとの苛烈な政治闘争を制して、名実共に台湾のリーダーになるなど考えもつかなかったわけですね。

総統になってからも、李登輝は中国に対して強硬な主張を唱えたり、台湾人としての国作りの主張を高らかに論じたりするようなことはありませんでした。一方で、中国を刺激しないようにしつつ、台湾は台湾で生きていく道を探り、中国一辺倒だった教育を改め、国交のない国とも積極的に「台湾外交」を行うようになります。独立派の人たちからも「李登輝は本当に国民党員なのか?」という疑問が出るくらい、民主化を推進していったのです。

「台湾人に生まれた悲哀」

そんな李登輝が日本の雑誌の取材に応じたのは1994年のことでした。同年の5月6、13日合併号の『週刊朝日』において作家の司馬遼太郎と対談し、流ちょうな日本語でこう発言したのです。

司馬さんと話をするときどんなテーマがいいかなと家内に話したら、「台湾人に生ま

れた悲哀」といいました。（中略）

台湾人として生まれ、台湾のために何もできない悲哀がかつてありました。

（司馬遼太郎『街道をゆく40　台湾紀行』より）

かつてオランダに統治され、清朝に統治され、日本に統治され、そして国民党に統治され……とすべて外来政権に統べられる、台湾という場所に生まれた自分たちの悲哀を表明したのです。これこそは、まさに台湾に生まれた人が心に秘めてきた歴史観でした。

この対談は、台湾でも驚きをもって受け入れられました。本省人は「われわれの総統は誰も言えなかった本当のことを言ってくれたんだ」と大喜びして、外省人は「台湾人ではなく、中国人だ。李登輝は何を言う」と激怒する。李登輝への見方がここでひっくり返るわけですね。すさまじい権力サバイバルをようやく勝ち抜いて、自分の基盤が安定するまで耐えていた李登輝が、初めて自分の本音を外に向けて吐露した瞬間でした。中国は「台湾独立に向けた発言だ」と危機感を強め、その後に第三次台湾海峡危機を引き起こす導線となりますが、政治家としての李登輝の名を上げる結果をもたらします。

李登輝は１９９９年に「中国と台湾は特殊な二国関係である」という「二国論」を打ち出

し、2000年に総統を辞めた後は政権喪失の責任を問われて国民党を追い出されて、翌年に台湾団結連盟という事実上、李登輝が指導者である政党を作って政治の世界から抜けられなくなり、少しずつ求心力を減らしていきました。

民主化の騎手として国際的には高く評価されていましたし、その点は台湾人も承知していたでしょう。しかし、かつて自らが属した国民党とは骨肉の争いを展開し、民進党とも同じ「グリーン陣営」の票を奪い合うのです。自然に敵も生まれ、李登輝が嫌いだという人も次第に増えていきました。その李登輝評価がやはり「民主化」と「台湾化」を進めた偉大な功績があった、ということで落ち着くのは2020年の逝去を待たねばならなかった。

一方、日本においては李登輝への尊敬は台湾よりも早く明確になったということができるでしょう。最も大きな役割を果たしたのが『台湾紀行』であったことはいうまでもありません。この司馬遼太郎との対談が李登輝の人間性を照らし出し、日本と台湾との距離を縮める大きな役割を果たします。それまで多くの日本人にとっての不可視領域、いや「見て見ぬふり」のままだった台湾の存在が、李登輝という人物を通して照し出されることになったのです。

３　経済と安全保障をめぐる関係性

対等以上のビジネス関係へ

日本と台湾は貿易のパートナーとしても強いつながりがあります。日本貿易振興機構（ジェトロ）の調査によると、２０２２年、台湾は日本からの輸入額が約５４６億ドルで全相手国の２位、輸出額は約３３６億ドルで同４位となっています。

１９５０年代から台湾にとって日本は主要な輸出先で、当時は農産加工品などを中心に取引が行われてきました。１９６０年代中盤になると、台湾は国内に加工輸出区を作って、国外からの工業投資を募ります。この主要な投資元が日本で、生産機械や部品を輸入するだけでなく、技術や駐在員などの人材も入ってきました。日本がトップの輸入元となり、台湾で生産した工業製品をアメリカ・日本に輸出するという流れができあがります。

その後、１９７０年代に蔣経国の十大建設計画によってインフラ整備が行われて電子産業が台頭、１９８０年代には国策企業を民営化し、経済の自由化が図られ、アメリカ・日本以外の国とも活発な貿易をするようになります。

ことに国策企業として設立されたＴＳＭＣは、世界的にＰＣやスマホの需要が増えるなかで世界最大級の半導体受託製造（ファウンドリー）企業となったのです。これによって、半導体を欲する中国も圧力をかけ切れず、アメリカもその存在を無視できずという、台湾という国の安全保障を担う盾、シリコン・シールド（半導体の盾）と呼ばれるまでの存在となりました。

このような状況にあって、日本と台湾のパートナーシップにも大きな変化が訪れています。日本から見て台湾は長く、日本の後を走っている存在でした。ＴＳＭＣに限らず、台湾の企業の多くは部品の受託製造に徹して、自社ブランドを持つことをしませんでした。垂直統合という業態が当たり前だった日本企業にとっては考えられないことで、そうした企業の姿勢を「下請け」にすぎないと軽く見ていたことは否定できないでしょう。

ところが、ほとんどのマーケットがグローバル化し、一つ一つの技術が高度化するにつれ、垂直統合の時代から水平分業の時代に移り変わったことで、台湾企業の特性が生きるようになります。設計から製造、販売、ブランディングまで一人で手がける垂直統合的企業ではできない、素早く柔軟な判断や対応が可能となり、台湾企業が世界から求められるようになる。かつて見下していた企業が今や世界のＩＴを支え、ＩＴ関連製品の価格を決めるまでになったのです。日本ではＴＳＭＣの名前はほんの数年前まで誰も知りませんでした。それが今や経済誌でＴＳＭＣの名前を見ない日はないほどです。台湾企業とのアライアンスを組みたいという動きも日本企業の間で強まっています。

図表９　菊陽町に誘致されたTSMCの工場
さらなる工場誘致も行われているという。著者撮影

現在、日本政府がソニーグループなどと共同でＴＳＭＣの工場誘致を官民一体で行い、熊本県・菊陽町で建設が進められています（図表９）。日本政府は、ＴＳＭＣに対して当時のレートで４６００億円もの協力費を支払っているのです。これは言い方は悪いですが、土下座をしてでも日本に来てほしい、と懇願しているようなものです。ＴＳＭＣは外国企業です。日本の国会や世論でもよく反発が起きなかったものです。それぐらい日本は台湾に半導体製造で水を開けられてしまった。恥も外聞もなく、日本に来てもらうしか術がなかった。台湾とのビジネスパートナーシップが、民主化以前の元請け－下請け的な関係から、対等以上に逆転した象徴的な出来事で

しょう。

日本経済の長い停滞のなかで、半導体という大きな武器を持った台湾の存在感が、これまでになく増していることには間違いありません。戦後も日本に親近感を持ってきた台湾人は自分たちが日本に片想いをしていると感じ、日本人が台湾へ振り向くことは、これまであまりありませんでした。しかし、そんな一方通行だった関係性が、文化・経済などさまざまな面を含めて、双方向の関係性になってきたといえるのではないでしょうか。

日本と台湾の共通点

さて、日本人はあまり考えていないことですが、台湾の人々は、台湾と日本に一つの共通性を感じています。それはアメリカとの関係です。日本も台湾も、国家の安全保障においてアメリカの庇護(ひご)が重要な意味を持っていることは否めないでしょう。しかし、あまり良い言い方ではありませんが、どちらもアメリカのアジア太平洋戦略のなかで、かつては反共産主義、今は対中国の盾として利用されている存在なのです。

それゆえのメリットを享受している部分がありますが、「属国」的な部分も感じないわけではありません。日本におけるアメリカ軍の空域使用の問題やアメリカ軍人への司法権の問題など、日本に不平等にできている仕組みがあります。米軍基地も、ここまでの面積が必要なのか、という問いは沖縄だけではなく、本土でも普通に持っていい疑問です。

台湾の人々は、日本以上にアメリカのスタンスに運命を左右されてきました。ニクソン以降はアメリカが中国と協調の姿勢を見せ、ロナルド・レーガンは台湾に対して優しいアプローチをとりました。これがジョージ・W・ブッシュ時代に9・11テロが起こると、中国の協力を得るために台湾への姿勢が厳しくなります。以降、ビル・クリントン政権の後半からバラク・オバマ政権の前半までは中国に接近し、オバマ政権後半になるとまた厳しい対中政策がとられる……というように、台湾はアメリカによるその都度都度の世界戦略のなかで、シーソーのように持ち上げられたり、落とされたりを繰り返しているのです。

現在、習近平政権の台湾政策に対して、アメリカは大きな懸念を抱き、台湾に対して軍事面においてかつてないテコ入れをしています。そうしたアメリカの態度に対して、中国は反発をどんどん強めている。こうした状況のなかで、叫ばれているのが「台湾有事」です。

台湾有事は、中国と台湾の関係だけで片づけることはできません。そして、台湾同様にアメリカの軍事力の傘の下にいる日本にとっても、台湾が抱える危機は他人事ではないのです。

「台湾有事」は本当に起きるのか

1　いまだ内戦状態にある台湾と中国

軍事侵攻の可能性

　ここ数年の日本において、台湾に関する報道が段違いに多くなったことには、長年台湾を追い続けている私も、少なからぬ驚きを感じています。２０２２年の与党・民進党が敗れた台湾統一地方選挙など、これまでなら考えられないほどの報道が、テレビ・新聞をはじめとしたマスメディアによってなされました。２０２４年１月の総統選はさらにメディアの関心が大きくなるでしょう。

　いったい、なぜでしょうか。これまでに述べたように台湾への距離感が縮まったことだけではなく、それは中国による軍事侵攻のおそれ、いわゆる「台湾有事」への懸念が高まったことが大きいでしょう。

　２０２２年にロシアが行ったウクライナ侵攻が泥沼の様相を呈したことで、もしかしたら中国と台湾も同じ状況になってしまうのではないか、という不安が渦巻いています。

　私もよく質問されます。「中国が台湾に侵攻することはありませんか？」と。

この質問に対しては、「１００％ないとは言い切れません」と答えます。習近平政権の長期化・独裁化が進む今、「絶対ない」の言葉はつけられないのです。そもそも、これまでも述べているように、中国にとって台湾も「一つの中国」であることは、理屈ではなくドグマなのですから。

もう少し詳しく短期（5年）、中期（10年）、長期（20年）で台湾有事を考えてみると、短期的には、まず武力侵攻という意味での台湾有事はないでしょう。なぜなら、中国の軍事力の整備が整わないからです。台湾を攻めとるには大規模な上陸作戦に踏み切る必要がありま す。しかし、中国には揚陸船が不足しています。もちろん通常の船舶を利用することもできるのでしょうが、軍事的なリスクが大きくなります。海軍力にしても米海軍が介入することを考えれば、現状よりもさらに空母を一つ二つ増やしておきたいところです。

しかし、中期になるとこうした軍事力のビルドアップが進むことに加えて、習近平の高齢化、任期満了などの問題が絡んできます。彼があと2期継続すると仮定すると、共産党総書記の任期は２０３２年までです。そのときは80歳近くになっています。もしも台湾統一が果たせていなければ、自分のレガシーとして実現しておきたいと思うかもしれません。その時点では、中国のＧＤＰはアメリカを抜いているかもしれないし、軍事力もさらに整備が進んでいるでしょう。

独裁者の脳内がどうスパークするか、誰にも分かりません。それはロシアのウクライナ侵攻で分かったことです。プーチンは「大ロシア主義」を信奉し、ウクライナのNATO接近が許せなかった、といわれます。開戦前でしたらウクライナがNATO加盟を望んでも、NATOは受け入れなかったでしょう。それでもプーチンは黙ってはいられなかった。合理的な判断というよりは、指導者の情念です。そして習近平を中国の誰もがコントロールできなくなった今、今日でも明日でも10年後でも彼が戦争を決断したら止める術はないのです。民主主義は効率が悪いかもしれないけれど、幾重にもストップをかける仕組みがあります。中ロのような体制にはそれがないのです。

台湾の人々は、ウクライナに自分たちの運命を重ねて「今日のウクライナは明日の台湾」かもしれないと恐怖しました。それは、軍事的な意味というよりは、隣に大国があり、独裁者がいて、自分たちの運命を左右しようとするとき、戦いに巻き込まれるしか術がない小国の悲劇を感じ取ったからだと私は思っています。

すでに現状が「台湾有事」

一方、日本人は台湾有事に対して少し考え違いをしている部分もあります。それは、そもそも今も台湾と中国は内戦状態にあって、現状こそがすでに台湾有事だという事実です。

たとえば日本のメディアでは、2023年7月に行われた防空演習を大きく取り上げました。これは「万安演習」と呼ばれ、台湾全土を対象に、有事における空襲に備えるため、国民全員が参加した大きな演習です（図表10）。しかし、この万安演習は初めてのものではありません。1978年から年1回必ず行われるものです。

図表10　防空演習の様子

市民は全員地下に避難し地上からは人が消える。写真は2023年7月24日、台北市内。写真提供元：共同

台北をはじめとする大都市では、建物や大通りの交差点には地下に防空壕を作ることが義務づけられています。普段は閉鎖されているため、みんな気に留めないで生活しているのですが、1年に1回、

演習のときにこの存在を再確認します。

そして改めて、台湾はまだ中国と事実上の内戦状態である、ということを国民が実感するのです。1949年に国民党が国共内戦に敗れて台湾に撤退して以来、「有事」状態ではなかったことは、ないわけです。

これまでも述べてきたように、何度も中国と台湾が全面戦争に陥る危機はありました。アメリカとの米華相互防衛条約の下で1950年代後半に起こった第一次・第二次台湾海峡危機では、中国軍から金門島への砲撃により大きな被害を受けながらも、アメリカ軍の後ろ盾によって、全面戦争を避けることができました。

ただ、米華相互防衛条約は、アメリカが台湾を必ず救うという名目のものではなく、アジア太平洋地域の防衛のために結んだものでしたから、蔣介石が大陸反攻を企んでも、実行させることはありませんでした。その後、アメリカは中国との関係性を強め、台湾との国交も表向きは断絶しますが、同じくアジア太平洋地域の防衛戦略として最低限の保障をしていたことは、前章で述べた通りです。

第三次台湾海峡危機による混乱

ところで、２０２２年にアメリカのナンシー・ペロシ下院議長（当時）が台湾を訪問したことに反発して、中国は台湾海峡周辺で大規模な軍事演習を行いました。このとき、台湾の周辺海域に11発の弾道ミサイルを、馬祖列島付近の演習海域にミサイル2発を発射し、海外では大きな衝撃をもって受け止められました。なぜなら、中国が台湾方面にミサイルを発射するのは、１９９６年の第三次台湾海峡危機以来のことです。

第三次台湾海峡危機の発端は、李登輝総統が１９９５年に、かつて留学していたアメリカ・コーネル大学の講演を理由に訪米したことでした。当時のビル・クリントン政権の外交方針は、人権尊重と民主主義の促進でしたから、台湾の民主化を急速に推し進めて成功させた李登輝の入国を拒否することはできなかったのです。

当然、中国の江沢民は反発します。そもそも米中国交正常化の際に「一つの中国」論を打ち出して、台湾要人の訪米を認めないことを約束していたからです。

ましてや、相手は李登輝でした。李登輝自身は総統在任中に台湾独立を主張したことは一度もありませんでしたが、中国はこのころ台湾独立を企む「隠れ独立派」としてマークしていました。李登輝は「中華民国台湾化」、すなわち台湾という土地の身の丈にあった国家を目指すうえで東南アジア諸国をはじめ、国交がない国にも積極的に非公式外交を行ってきました。それも中国に少なからぬ刺激を与えていました。中国とアメリカの関係でいえば、1989年の天安門事件で一定の交流停止を伴う制裁措置をとっていた時期のことです。

こうした状況のなかで、1960年代から核開発を始めた中国は、核兵器の存在をちらつかせ、弾道ミサイルを試験発射します。そこから複数回にわたる軍事演習を行うのです。これに対してアメリカもベトナム戦争以来の緊急事態の構えをもって対抗します。

1996年3月23日は台湾初の直接選挙での総統選挙が予定されており、李登輝の有利が伝えられていました。それに呼応して中国は3月8日からミサイル発射訓練を行います。結果、4発のミサイルが台湾近海に着弾したのです。アメリカも対抗して空母インディペンデンス、原子力空母ニミッツを台湾海峡へ急行させ、緊張は一気に高まりました。

これによって、台湾の株価は一時的に暴落し、海外へ逃亡する人や移民の申請が急増するまでの混乱が生まれました。しかし、アメリカの台湾保護の姿勢が示された、台湾政府も李登輝のもとで動揺を見せなかったため、台湾選挙の妨害を狙った中国の意図に反して李登輝の人気がさらに高まる結果となり、彼は全投票数の半数以上を得て、当選を果たしました。

中国の軍事演習に動じず

さて、ペロシが訪台を終えた翌日、2022年8月4日からの軍事演習においては、中国は第三次台湾海峡危機よりも多い数のミサイルを発射しました。しかも、今回は台湾の中心都市である台北の上空をミサイルが通過していったのです。

中国の狙いとしては、台湾社会に混乱を引き起こさせることだったのかもしれません。第三次台湾海峡危機と同様に、株価の暴落、民衆の混乱、そしてSNSの風評によるパニック、などなど……。

ところが、です。ちょうど台湾に滞在していた私は、そのさまを固唾を呑んで観察していましたが、このとき台湾社会に混乱らしい混乱はありませんでした。株価の下落は起こらず、台湾ドルも高値安定のまま推移しました。そして街中も平穏で、大衆も冷静に中国のミサイル発射を受け止めていたのです。

いや、平穏というのも少し違いますね。むしろ楽観的な気分さえ感じられるくらいでした。マスメディアでは無人戦闘機を見に行く若者の姿や、普段通りに漁に出る漁師の姿を映し出していました。中国にとってみると、当てが外れた、というところでしょう。

なぜ台湾の人々はそんな楽観的でいられたのでしょうか。

一つには、台湾軍が監視するなかで、あくまでミサイルの発射と軍機の接近だけの動きしかなく、本格的に中国が侵攻を仕掛ける要素がなかったことがあるでしょう。

もう一つは経済的な関係性です。１９９０年代末から、中国は大陸へ投資する台湾企業の優遇策を講じていきます。外需依存度の高い台湾が馬英九政権となって以降は、その度合いが進んで、ＩＴ産業を中心に輸出入の拠点として活用してきました。そして現在、それが中国の経済を支えている現実があります。

とくに最も大きな要素は、先に挙げた「シリコン・シールド」、半導体という大きな武器の存在です。ＴＳＭＣによる半導体の世界シェアは２０２２年の第三四半期において56・1％を占めています。２０２３年のＡＰＥＣ（アジア・太平洋経済協力）では、習近平が直々にモリス・チャンの滞在するホテルにまで会いに来たくらいなのですから、その重要度がうかがえます。デジタル化が進む現代において、中国にとっても台湾は無視できない状況にあるのです。

ただ、当時最高指導者としては異例となる三選を狙っていた習近平としては、メンツのために台湾への圧力を強めなくてはいけなかった。そのための軍事演習だろう、という見方が台湾で強かったことになります。その読みは当たっていたといえるでしょう。

とはいえ、この演習で中国軍が台湾侵攻のための準備を着々と進めていることははっきりとしました。今回はあくまで演習の域を出なかったかもしれませんが、依然として内戦状態は続いており、いつ状況が悪化するとも限らない。要するに、いつ爆発するか分からない時限爆弾を抱えている状況には、変わりはないわけですね。

2　台湾有事は世界の有事である

台湾侵攻、一つのシナリオ

私が新聞社の台北支局長を務めていた2010年ごろ、台湾と中国の軍事力は拮抗していると分析されていました。第三次台湾海峡危機以後、台湾はアメリカ、フランスなどから最新兵器を輸入して軍備を整えていました。

ですが、中国の国防費は年率10％程度の伸びを続けた結果、中台の軍事バランスは大きく変わりました。このままいけば、台湾との軍事力の差はさらに開き、いずれアメリカをも超える力を持つ可能性も出てきます。

これまで台湾侵攻といえば、中国が台湾海峡を越えて、台湾島へ上陸するシナリオが主に考えられていました。たとえば――私は軍事の専門家ではありませんが――このような展開を考えることができます。

中国と台湾島の間の台湾海峡は直線距離100km以上の海があります。ならば向こうが船で近づいてきたら察知することができますよね。さらに、中国と面した海岸線はすべて干潟になっており、船をつけられるのは、最北端か最南端に限られてきます。

もし上陸されてインフラなどを破壊されても、台湾島の内陸は標高4000m近い山々が連なる台湾山脈が存在する、天然の要塞です。よって台湾を面で支配することはほぼ不可能といえます。局地戦となり、ゲリラ戦、持久戦に持ち込むことも予想されます。そのうちに国際的な介入も行われるかもしれません。

いずれにせよ、大量破壊兵器は絶対に投入できません。共産党にとって台湾の「解放」はあくまで内戦であって、中華民国政府を駆逐して自国民を救い出す戦いだからです。

最近になって、中国が打ち出しているのが「一島三峡」という言葉です。一つの島と三つの海峡、具体的には台湾島、台湾海峡、バシー海峡、宮古海峡を指します（図表11）。

バシー海峡と宮古海峡は、中国が設定した軍事防衛ライン「第一列島線」の上にあります。

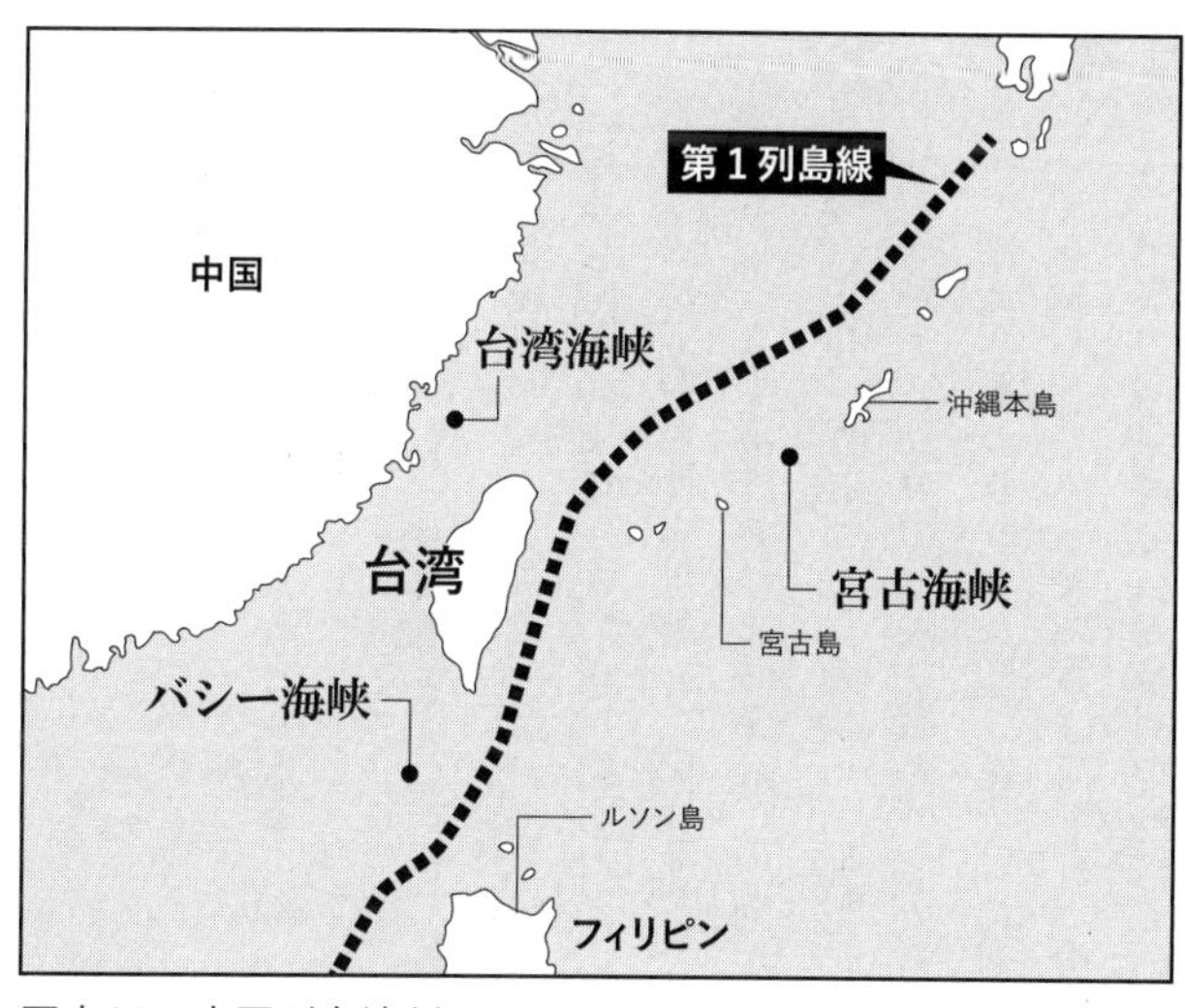

図表11　中国が台湾制圧のキーワードとする一島三峡

バシー海峡は台湾島の南に位置し、フィリピンのルソン島との間にあり、ここを抜けると太平洋までさえぎるものがない、中東からの原油が運ばれるルートともなっている要所です。そして宮古海峡は沖縄本島と宮古島の間にあります。各国が自由に使用できる公海の範囲が広いため、中国は盛んにここで訓練を行っています。

この2つの海峡をおさえることで、台湾の重要基地がある東側の空と海を制することができる、という考え方なのですね。速やかに東側から侵略できれば、アメリカをはじめとする国際的な介入が入る前に、台湾を封鎖できる可能性が高まるというわけです。

もしそんなことになったらどうなるのか……正直、その日になるまで分からないとしかいようがありません。

最悪のケースとは

先ほど申し上げた「国際的な介入」も、あくまで不確定な要素です。現在アメリカと台湾の間には国交がなく、確固たる安全保障の取り決めもありません。国連も脱退していますから、迅速な国際的支援がどの程度得られるのかは不透明です。

このことは、台湾側も理解しています。ただしアメリカも、もし台湾が平和的に中国と統一されるなら為す術はありませんが、中国が台湾住民の意向に背くかたちで武力統一をしようとするならば、座視しないという「暗黙の了解」はあります。

これこそがアメリカの「曖昧戦略」というもので、明文化された保障があるわけではありません。ただ、そのコンセンサスを中国に対して信じさせるということが重要になってくる。だからジョー・バイデン大統領は何度も「中国から前例のない攻撃があった場合、アメリカは台湾を守る」と発言をして牽制(けんせい)を行っているわけですね。

では、台湾有事が起こった場合、日本はどういう態度を示すのか。日本も台湾の同盟国ではないわけですから、憲法上は集団的自衛権を発動できないことになります。

中国が台湾を攻めた場合、日本は台湾を助けに行けない。けれど、アメリカが介入するとしたら日本や韓国にいるアメリカ軍が出動するはずです。中国はそれを阻止するため、沖縄をはじめとする在日米軍基地に何らかのアクションをとってくるでしょう。そうなったら、もはや日米同盟有事となって、日本は台湾有事に関わらなければならなくなってしまうということも考えられるわけです。安倍晋三元首相の生前の「台湾有事」発言が「台湾有事は日本有事であり、日米同盟の有事」という内容だった意味はここにあります。

もしこの想定通り、中国が台湾侵攻に動いたとしたら——アメリカ、中国という大国が関わることで、世界中が巻き込まれるでしょう。

これは考えられる限りの最悪のシナリオといえるでしょう。とはいえ、日本としてもその悪夢を払拭するための備えをしておく必要があります。

現在、自衛隊は南西諸島に重点的な配備を急いでいます。万が一の監視ができる環境作りと、中国への目配せは大変重要なことです。しかしながら、もし本当に中国が台湾へ侵攻した場合、有事の際の台湾住民や外国人、そして台湾在住の日本人を日本へどのように退避させるのか、そして南西諸島にいる住民をどこに避難させるのかといった問題については具体的なプランを立てられないままでいます。

国内の調整、台湾政府への配慮、安保上におけるアメリカとの対話……さまざまな障壁を超えての準備を行わなければなりません。

このように、台湾有事は現在進行形の状況で続いており、いったん火がつけば台湾・アメリカ・日本だけの有事でもない、世界の有事といっていい事態になります。

3 総統選挙と台湾のこれから

総統選挙の〝ある法則〟

台湾をめぐる情勢を紐解くには、複雑に絡み合ういくつもの問題を照らし合わせながら考えていかねばなりません。中台、米中、日台など複数の国家間の関係はもちろん、台湾内の事情も理解しておくべきでしょう。

2024年1月、こうした膠着(こうちゃく)した状況下で国を挙げての「まつりごと」、台湾総統選挙が行われる予定となっています。

現在の台湾総裁・蔡英文が2016年に初当選したときの背景を振り返っておきましょう。中国では習近平が権力を集中させつつあるなかで、前任の国民党の馬英九総統は親中国政策を推し進めました。その急速さに不安を持った天然独世代が声をあげたひまわり学生運動の影響もあって、民進党の蔡英文が総裁選挙に勝利したのです（図表12）。

2020年の総統選挙にも勝利した蔡英文は、習近平の「一つの中国」への対抗姿勢、世界からも称賛された新型コロナ対策などのアドバンテージで2022年の統一地方選も勝利すると思われていましたが、予想外の敗北を喫しました。

政権がとくに決定的となる失策を犯したわけではありませんでした。しかし、新型コロナからくる一時的な不況において中小企業や庶民への対策が人ごとのような対応だったことや、蔡英文お気に入

図表12　蔡英文の次に総統を務めるのは誰か
著者撮影

りの選挙候補者の不祥事といった、細かいエラーが積み重なったことが積もり積もって有権者の怒りを買ったと考えられました。

若者を中心に支持者を集め、原子力問題やジェンダー対策など、先進的な政策を進めてきた蔡英文政権ですが、とくに不況対策においては、台湾社会に一つの停滞感をもたらしました。給料は上がらない、格差社会は広がる、ただでさえ少子化によって若者の負担は増えている——こうした不満は当然政権与党に向けられるわけです。

この失点は「中国に対抗します」という中国対策をもっても、取り返せないものだったということになります。どこの国でもそうですが、国際情勢だけで政治が決まるわけではない、ということですね。

また、2024年の総統選挙において、民進党を不安にさせる別の要素もあります。2000年以降、国民党と民進党は2期8年交代で政権を担当しているのです。法則に従えば、次は国民党の番ということになります。なんだかジンクスのように思われるかもしれませんが、これは台湾の国民性を表すれっきとしたデータなのです。

台湾では長く国民党の独裁政権が続きましたが、独裁への反対運動から民進党が生まれ、2000年に政権交代を成し遂げました。台湾は長期政権を忌避する傾向があります。国民党による長期独裁政権を経験してきた台湾の民衆は、一つの党が権力を握り続けることを恐れるのです。

民進党は、台湾の主体性を強調する政党です。一方、国民党は中華民国の伝統の継承を掲げます。台湾アイデンティティが強まる台湾社会のなかでは民進党が有利なように思えます。しかし、経済的にも軍事的にも強大化する中国と付き合う、ということを考えますと、国民党に任せたほうが安全だという考え方もあります。

民進党は総統選挙に向けて、党勢の立て直しを迫られました。統一地方選挙で敗れた責任をとって、蔡英文は党主席を辞任し、次期党主席選挙に出馬する頼清徳副総統が、基本線としては蔡英文路線を引き継ぎ、次の総統選挙候補となることが決まりました。

一方の国民党は、立法委員らの推薦をもとに、新北市長の侯友宜を総統選挙に擁立することになりました。しかし、シャープを傘下に収めたことで知られる電子メーカー大手・鴻海の元会長で、元国民党の郭台銘（テリー・ゴウ）が無所属で総統選挙への出馬を決めたのです。さらには、統一地方選挙で存在感を強めた第三の政党・台湾民衆党からは柯文哲が出馬することを表明したことで、民進党政権への批判票が分散する向きが出てきました。

これまでの台湾の総統選挙では、中盤戦あたりでリードした候補がそのまま勝つという傾向が顕著となっています。例外は、２００４年の選挙において、劣勢だった現職の民進党・陳水扁が、投票前日に銃撃されて負傷した事件が影響して再選を果たしたときのみです。現時点（２０２３年11月）では、民進党の頼清徳がリードを保ち、国民党の侯友宜と台湾民衆党の柯文哲が追いかける展開が続いています。経済人の郭台銘も立候補していますが、苦戦しているようです。この野党側三者の連合結成の動きもあります。さてどうなるのでしょう。

米中対立に巻き込まれる台湾

ともかく次期総統選挙の行方が、台湾有事に大きな影響を与えることは間違いありません。民進党政権は「一つの中国」を否定し続けてきました。蔡英文は中国による再三の圧力に「中国は民主主義社会を脅かすトラブルメーカーであり、台湾はその被害者である」と海外へ訴え、中国の脅威を感じる国々の理解を得てきました。

蔡英文は自分の政権が終盤を迎えるにつれ、海外の有力者との会談を積極的に行うようになりました。２０２３年４月には訪米してナンバー３であるケビン・マッカーシー下院議長と会談しています。ペロシ訪台の経験から、中国への配慮を見せた会談となりましたが、安全保障面の確認を行ったという報道がなされました。

やはり、対話の武器となるのは半導体です。台湾防衛の義務を負っていないアメリカのバイデン大統領は、中国の「一つの中国」論を否定はしないものの、中国が侵攻した際には台湾を防衛するという発言を行っています。さらに、2023年のG7広島サミットでは、台湾問題について力による一方的な解決を認めないとする声明を引き出す結果につながっています。蔡英文による親米政策、そして世界世論への「中国の圧力は世界経済をゆがめる」という働きかけが功を奏したわけです。

中国にとり、このような民進党政権における8年間の対外政策は、ストレスが溜まるものでした。そのうえで、もし次期選挙で民進党が政権をとれば、長期独裁政権をしいている習近平にとって、平和的な台湾統一を絶望させる結果となるに違いありません。

そうしたなか――蔡英文が訪米していたのと時を同じくして――国民党の馬英九前総統が、総統経験者として初めて中国を訪問しています。表向きは非公式なものでしたが、中国ではこれを歓迎しました。総統時代には中国との融和路線をとった馬英九の中国訪問は、訪米する蔡英文、民進党との大きな違いをアピールするものでした。

前総統は中国へ、現総統はアメリカへ――。これほど台湾が置かれた今日の状況を表している構図はないでしょう。台湾は今、「新冷戦」と呼ばれる米中対立に巻き込まれています。

アメリカと中国、２つの超大国からの引力が強まっているのです。国民党は中国に、民進党はアメリカに引き寄せられ、国民党はアメリカから警戒され、民進党は中国に嫌われる。その結果、どちらの政党も、完全な「一辺倒」は望んでいないにもかかわらず、米中どちらかに肩入れをするしかなくなります。それは時代の宿命といってもいいでしょう。米中の「代理戦争」が台湾に出現しているのです。

中国は国民党が政権をとることで、ドグマである「一つの中国による台湾の統一」を平和的に達成したいと考えています。こうして中国志向を持つ支持層に支えられる国民党に対し、台湾志向を持つ人々は民進党を支持してきました。

民進党の経済・安保における親米政策は一定の成果を得ています。しかし一部の国民には、アメリカがアジア太平洋戦略の駒として台湾を利用しているのではないか、という懸念もあります。それは「疑美論」（美国＝アメリカを疑う議論）としてそれなりに広がりを見せていました。

その不安感を国民党は政権奪回の鍵として、巧みに突いていこうというところでしょう。といっても、民進党も嫌だけれど、無制限に中国へ近づこうとする国民党も嫌だという人もいて、統一地方選では第三勢力への投票や投票の棄権が目立ちました。

今回の総統選挙では、有権者はどういった決断を示すのでしょうか。

台湾の人たちは、ことに民主化のプロセス以降、台湾の自立を目指して、そのときどきによって親中国になり、親アメリカになりと、彼らなりにバランスをとりながら目の前の現実に対峙してきました。

現在もどうしたら最善の道を歩めるのか、悩んでいる最中なのです。

台湾独立に対する思い違い

日本では現在でも「台湾は独立をしたがっている」「独立論者が多数いる」という言葉を口にする人がいます。この点についてもちょっと言わせていただきたいことがあります。これは、あたかも台湾に強大な「独立勢力」が根を張っていて、選挙のたびに独立を唱えて激しく票集めをしている、という前提に基づくものです。

ですが、はっきりいえば、これらは実体のない虚しい議論です。

たとえば、立憲民主党の岡田克也幹事長は、２０２２年11月の国会質問で「もし独立が支持されていると考える人が台湾で増えたら、そのような台湾独立への動きが阻止できなくなる」と語って、岸田文雄首相に「台湾独立を支持しないと明言すべきだ」と詰め寄りました。

さらに評論家の姜尚中（カンサンジュン）氏は、同年12月の週刊誌のコラム（『AERA』2022年12月12日号）で「北京政府の軍事力行使には断固とした反対の意思を明らかにするとともに、台湾の性急な独立への動きには自重を迫る、それが日本の役割だと思います」と述べました。2023年8月には評論家の古賀茂明氏もコラム（『AERA dot.』）で「台湾では、独立派は全くの少数派だったが、日米に中国脅威論を唱えられ、台湾有事だとあおられれば、本気で独立を考える人も増えてくる。日米が台湾人を洗脳しているという見方にも一理ある」と述べています。

共通するのは、日本が台湾有事を煽ることで、台湾の独立派を増やしている、それをしてはならない、という論の立て方です。もっともそうに聞こえますが、台湾社会の理性を軽く見ているか、あるいは台湾の現状を何も知らないかのどちらかで、いずれにせよ、台湾に対していささか失礼な発言だと私は感じます。

現在、国民党はもちろん、民進党や民衆党も、中華民国体制の維持＝台湾独立の否定についてはおおむね一致しています。

確かに街を歩けば、独立派がデモをしていたりすることもある（統一派も）。だが、彼らがそんなすごい勢力かというと、とんでもない。日本において、街頭でスピーカーで怒鳴っているような極右や、大学のどこかでギリギリ存続している極左を思い浮かべてほしいです。もう少し力はありますが、政治的にはごくごく限定的な影響力しかありません。

台湾の人のバランス感覚

ほかのところでも述べたように、現在の台湾では「台湾は事実上独立した主権国家であり、国名は中華民国という。だから独立をあえて主張する必要はない」という独立状態論が主流です。これはつまるところ現状維持論であり、国際社会の期待にも、台湾の民意の主流にも合致します。だからこそ、どの政党も、基本的にはこの「すでに独立した主権国家、我が名は中華民国」というところで主張が落ち着いているのです。

もちろん、台湾の人々の一人一人に聞けば「いつかは本当の独立を果たしたい」と答える人も多いのかもしれません。台湾では習近平政権になる前から、そして安倍政権になる前から、「台湾は台湾で中国ではない」という台湾アイデンティティが広がっています。30年間にわたって選挙で自分たちの指導者を選び、中国と切り離された社会で生きているのだから、自然の流れです。

しかし、これはあくまでも心のなかの問題です。実際の政治的投票行動で人々は「台湾独立」や「中国との統一」を掲げない候補者を冷静に選びます。その傾向は年々強まっており、台湾における「統一／独立」問題はすでに争点ではなくなっており、争点は、中国と仲良くするべきか、一定の距離を置くべきか、という点につきます。仲良くするといっても統一まではいかないし、距離を置くといっても独立宣言まではいかない。

それが台湾社会の現状維持を求めるバランス感覚なのです（図表13）。

台湾に「独立勢力がいる」と唱えているのは中国で、与党民進党の幹部たちを「独立派」と認定していますが、それは中国の主観的意見に過ぎません。中国を批判するから独立派というロジックは、日本で中国を批判する人々を反中派とレッテルを貼るのに等しいでしょう。そもそも、台湾の人々は中国の人が嫌いなわけではありません。中国共産党の政策が嫌いなだけなのです。

とはいえ、この中台関係に大きく関わってくるのが、中国を危険視しているアメリカです。台湾が常に翻弄されてきたアメリカの天秤は近年、台湾へ傾いています。

ことにドナルド・トランプ前大統領の時代末期、中国との関係が非常に悪化しました。経済的にも大国化した中国に対して、工業製品を中心とした輸入品の関税を引き上げ、さらには中国大手・ファーウェイなどのＩＴ企業との取引を、セキュリティの危険性を理由として

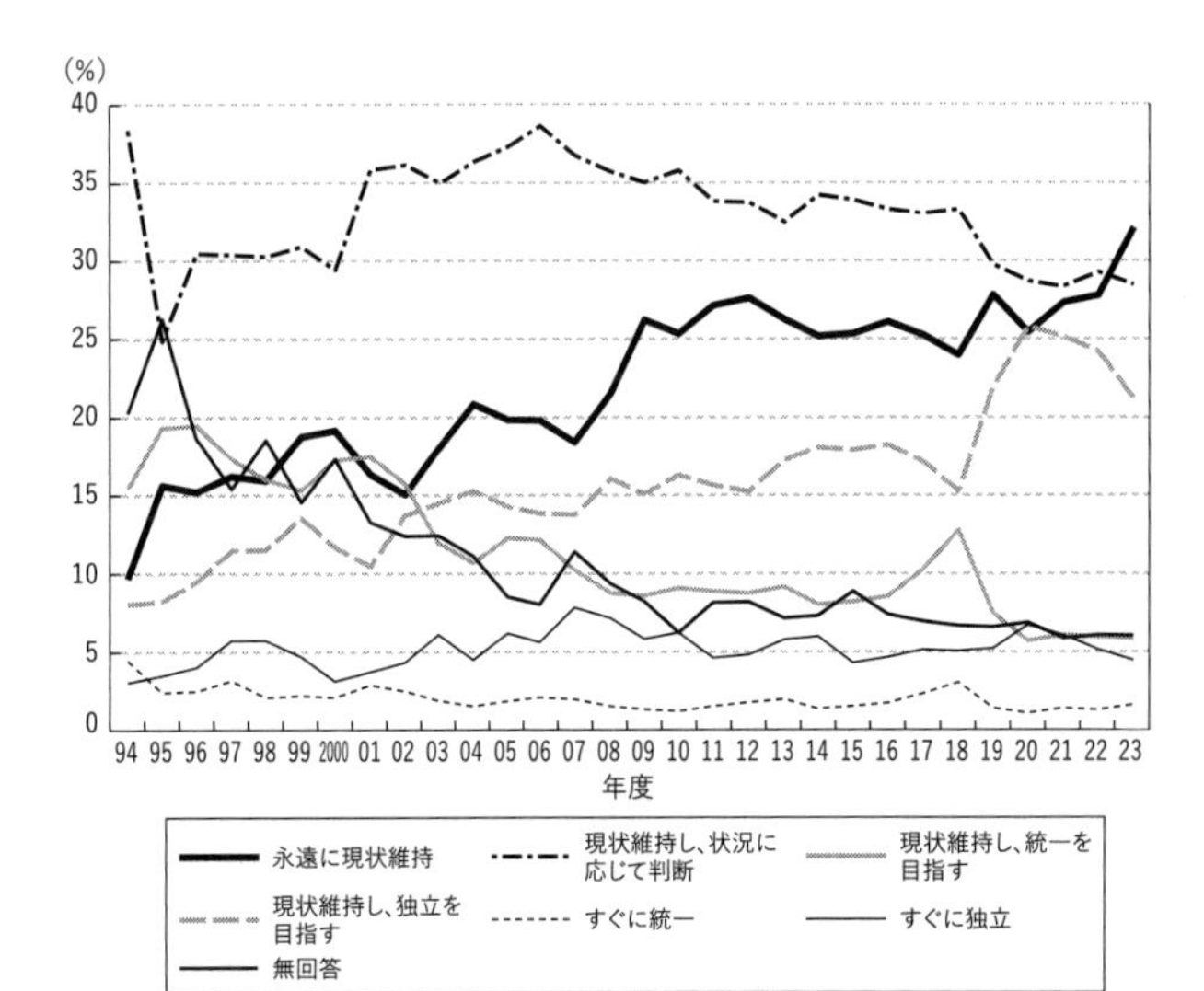

出典）台湾政治大学選挙研究センター「台湾民衆重要政治態度」をもとに作成。

図表13　独立および統一に関する台湾世論の変遷

ここ数年はとくに「永遠に現状維持」という答えが目立ち、2023年度の最新調査では３割を超えるようになった。

事実上禁止するなどの措置をとったからです。加えて、新疆ウイグル自治区の問題を「ジェノサイド」として最大級の非難をしました。

トランプの次に大統領となったジョー・バイデンは、親中派と見られてきました。

しかし、習近平が２０２３年の全国人民代表大会（全人代）で3期目の国家主席に選ばれると、このとき最高指導者会議の中央常務委員会にいた鄧小平時代の実力者たちをすべて追い落として、手元にイエスマンだけ残すという独裁化がさらに一段進みました。いっそう自国権益の拡大へ進むのではないかと、結局バイデンも中国への態度を硬化させたままです。

こうした米中の対立激化が、特殊な事情を持つ台湾という国をとりまく環境をよりシビアにします。現状維持を望む台湾としても、米中が本気でケンカを始めたら、どちらかにつくしかない。そこでアメリカについた台湾を中国は激しく怒る。アメリカはより危機を感じて台湾に寄り添う。疑心暗鬼になった中国は圧力を強める――。

それまで東アジアだけの問題とされてきた台湾海峡情勢は、こうしてグローバルなものとなり、台湾有事シナリオにリアリティを持たせているのです。

日本は今何ができるか

こうした状況を踏まえて、日本はどのように対応していけばいいのでしょうか。

最悪の状況を回避するためにも、これまで同様に台湾を孤立させないよう寄り添う姿勢が重要となります。そのうえで、中国に「台湾に万が一何かあったときには、日本は座視をしない」という可能性を見せることです。

なぜなら、中国にとって最もコストがかからない台湾の統一は、武力行使ではなく、親中政権が誕生して中国との統一に舵を切ることだからです。もちろんかなりの民衆は強く反発するかもしれません。そのとき、台湾政権のトップが人民解放軍に「救援」を要請する。そうなれば、軍派遣の大義名分が生まれ、アメリカも介入することは難しくなります。

これは極端なシナリオかもしれませんが、2024年に国民党が勝利すれば台湾は今の親米・親日路線から、対中・対米バランス外交に変更するでしょう。それが中国と軍事的緊張を抱える日本やアジアの国々、アメリカにとって望ましいかどうか議論のあるところです。

ですから、日本はできるだけ台湾と官民をあげて関係を強化し、台湾政府に「日本は共にいる」と信じてもらうことが大切になります。台湾の人々は日本の動向を日本人以上に気にしています。

しかし、中国にとって日本と台湾が近づくという行為は、他国以上に敏感なものなのです。アメリカと台湾の接近については、戦略的な観点から注視するのですが、台湾が日本と接近することは感情的な観点から嫌がるのが中国です。彼らにとってみれば、「台湾人民を搾取してきた日本の植民地統治から救い出した」にもかかわらず、なぜ今さら仲良くするのか、ポスト・コロニアル（脱植民地）が徹底されていない、日本の洗脳が解けていないという意味を持つわけですね。

中国共産党は革命を起こして新しい中国を作ることを理念としています。新しい中国を作るためには、失われた領土をすべて取り返すこと（解放）が必要不可欠で、そのために「人民解放軍」があるのです。

台湾も中華民国によって失われた領土の一つであり、それを取り戻そうとするのは、何度もお伝えしてきたように中国共産党のドグマとなります。だからこそ台湾が存在する今はまだ、内戦が続いているのです。

この内戦状態にある特殊な現状自体が「台湾有事」であるといえます。

現在のわれわれは、中国が台湾に武力行使するという時限爆弾を除去することは不可能です。しかし、もし現在の米中関係のなかで時限爆弾が破裂してしまったら、日本だけではなく世界中が大混乱をきたすことは間違いありません。

だとするならば、時限爆弾を破裂させないように、中国の台湾への方針がいつか変わるという淡い期待を抱きながら、台湾の現状を永続化させることしかありません。

日本はこういった特殊な事情下にある台湾の現実について、見て見ぬふりで関係を保ってきました。しかし、米中の荒波にさらされる隣人は、今や日本にとって安全保障的にも、経済的にも、精神的にも重要なパートナーなのです。台湾有事をめぐる議論は、それを不安がるだけでなく台湾が何を考えているかを知り、日本がすべきことを考えるきっかけとしたいところです。

あとがき

私は、中華圏で生きてきました。大学生で初めて留学したのは中国でした。吉林省長春の吉林大学で中国語を学びました。それから香港中文大学に留学し、さらに台湾の台湾師範大学にも留学しました。大学生の間に、いわゆる両岸三地（大陸、台湾、香港）のすべてで学んだのは当時、私ぐらいだったのではないでしょうか。

私が大学生だったのは１９８７年から１９９２年まで。途中で中国では天安門事件が起きて改革の勢いが弱まりながらなお自由と解放を模索し、台湾では民主化運動が強まって国民党の一党独裁が揺らぎ、香港では迫ってくる返還への不安と期待が渦巻いていました。

そのころ、中華ポップスの世界で流行っていたのは、中国出身で、香港でデビューした歌手フェイ・ウォン（王菲）の「天空」という歌です。その歌を毎日のように聴きながら、中国語を学んでいたことを思い出します。その「天空」のなかで、「私たちの空はいつ繋がることができるのだろう（筆者訳）」という歌詞があります。当時は、異なる政治体制、異なる社会であった中国、台湾、香港がいつか一つに繋がるのだろうか、その中華圏を私の天空＝世界としていきたいと漠然と考えながら、ラジオから流れる「天空」を聴いて、中国語を勉強していました。

いささかロマンチックにすぎたかもしれませんが、広々とした中華圏を自在に動き回りながら文章を書いて生きていきたい、という夢は持ち続けていました。40代で新聞社から独立し、フリーランスのジャーナリストになり、さらにその希望を実現しようとした折、中国では厳しい言論統制や外国人への行動管理が始まりました。そしてその影響は国家安全維持法のもとで変貌した香港にも伝播し、いまや私を含めた外国人のジャーナリストや研究者が、自由に政治問題の調査へ中国や香港に出かけていくことは難しくなりました。残された最後の砦といった場所、それが台湾です。

台湾が消去法で好きになった、ということではありません。

台湾はあの１９９０年代初頭の民主化への熱気をいまも抱きながら、政権交代を重ね、高い投票率を維持して民主の模範と言われ、コロナ対策では世界を驚かせ、半導体製造でも世界の最先端を走っています。中国、香港の政治状況が暗い方に変化していくのとは対照的に、台湾は輝き続けています。中国、香港へのある種の失望（そこで生きる人々への失望という意味ではなく）も作用しながら、台湾は世界を、日本を、より強く惹きつけているのです。

台湾を学びたい。そんなふうに考える若者も増えています。台湾を知りたい、という欲求も広がっています。それは、台湾の人々が東日本大震災のときに250億円という巨額の支援をしてくれたことも関係していますし、台湾の半導体の強さにも惹かれるのでしょう。台湾有事という危機感が広がったこともちろん関係しています。美味しい料理、優しい人々、美しい景色を、台湾を訪れる旅で好きになっていく人もいるでしょう。この10年は、日本において戦後初めての台湾ブームが起きた、と言えなくもありません。

そんななかで迎えた新型コロナウイルスによる渡航制限の間、日本と台湾が切り離され、台湾に行くことができなくなりました。しかし、かえって台湾への知的好奇心は高まったようで、台湾に関する講演や講座へのお誘いも変わらず多く、やがて私のなかに台湾への入門書を一冊出したいというアイデアが芽生え、そこからこの本の企画がスタートしました。

入門書は総花的になりがちです。そうなると、どうしても教科書的になって、面白さが犠牲になります。私はできるだけ新しくて深くて、それでいて誰もが面白く読める本を作りたいと考えました。そのため、台湾を紐解くための6つの問いを立てることにしました。

本書でも繰り返したように、台湾はなかなか複雑なところです。歴史が、二重、三重にも絡みあっていて、例外も多く、たくさんの解説が必要です。それでも、その問いから逃げていては、台湾の面白さは分かりません。台湾を、絡んだ紐を一本ずつ解いていくように学んでいけば、そこには多くの知恵が隠れていて、まるでロールプレイングゲームで宝物を見つけるように学ぶことができます。一方、例えば「統一か独立か」というような間違った入り口から入ってしまうと、迷路に落ち込み、独りよがりの台湾論に陥ってしまいます。

ですから、台湾を理解するには、難しい問いから逃げず、丁寧に、冷静に、客観的に、正しい情報をもとに学んでいくことが大事になるのです。それが、「問いから考える台湾」というアプローチをとった理由です。私自身が、いまも台湾から突きつけられる問いを解くことに四苦八苦していることも告白しておきます。

本書の完成にあたって、光文社の河合健太郎さん、ライターの一角二朗さんには大変お世話になりました。三人の共同作業といってもいい本だと考えています。

本書が、〃となりの国〃である台湾の基礎を理解するための一冊になってくれればこれほど嬉しいことはありません。

2023年11月

野嶋　剛

主要参考文献

・赤松美和子、若松大祐編『台湾を知るための72章【第2版】』明石書店、2022年
・小笠原欣幸『台湾総統選挙』晃洋書房、2019年
・オードリー・タン『オードリー・タン　デジタルとAIの未来を語る』プレジデント社、2020年
・木村靖二、岸本美緒、小松久男、橋場弦監修『山川 詳説世界史図録 第5版』山川出版社、2023年
・司馬遼太郎『街道をゆく40　台湾紀行』朝日新聞出版、2009年
・詳説日本史図録編集委員会編『山川 詳説日本史図録 第10版』山川出版社、2023年
・薛化元主編『詳説　台湾の歴史――台湾高校歴史教科書』永山英樹訳、雄山閣、2020年
・『別冊宝島127　謎の島・台湾』JICC出版局（現・宝島社）、1991年
・野嶋剛『台湾とは何か』ちくま新書、2016年
・野嶋剛『新中国論――台湾・香港と習近平体制』平凡社新書、2022年
・野嶋剛『認識・TAIWAN・電影　映画で知る台湾』明石書店、2015年

・村上春樹『ランゲルハンス島の午後』新潮文庫、１９９０年
・若林正丈『台湾の政治 増補新装版――中華民国台湾化の戦後史』東京大学出版会、２０２１年
・姜尚中「台湾の統一地方選に表れた『民意』　国民は現状維持を望んでいる」『ＡＥＲＡ』２０２２年12月12日号
・古賀茂明「台湾有事を起こすのは平和主義を捨てた日本だ　麻生氏『戦う覚悟』発言にみえる大きな勘違い」『AERA dot.』２０２３年11月１日アクセス（https://dot.asahi.com/articles/-/199274?page=4）
・野嶋剛「台湾有事のタイミングを計る『一島三峡』とは？　中国侵攻に日本はどう備えるか」『ニューズウィーク日本版』２０２３年11月１日アクセス（https://www.newsweekjapan.jp/stories/world/2023/07/post-102176.php）
・「米、58年に中国核攻撃検討　金門・馬祖両島の防衛目的」『朝日新聞』１９９６年４月17日朝刊
・「１９５８年、対中核攻撃検討　米、第２次台湾海峡危機で　ＮＹＴ、機密文書もとに報道」『朝日新聞』２０２１年５月25日朝刊
・エイビーロード・リサーチ・センター「エイビーロード海外旅行調査２０１９」２０２３年11月１日アクセス（https://www.recruit.co.jp/newsroom/recruit-lifestyle/uploads/2019/06/RecruitLifestyle_AB_20190619.pdf）
・公益財団法人日本台湾交流協会「２０２１年度台湾における対日世論調査」２０２３年11月１日アクセス（https://www.koryu.or.jp/Portals/0/culture/%E4%B8%96%E8%AB%96/2021/2021_seron_kani_JP.pdf）

・台湾政治大学選挙研究中心「臺灣民眾統獨立場趨勢分佈（1994年12月〜2023年06月）」2023年11月1日アクセス（https://esc.nccu.edu.tw/PageDoc/Detail?fid=7805&id=6962）
・台湾政治大学選挙研究中心「臺灣民眾臺灣人／中國人認同趨勢分佈（1992年06月〜2023年06月）」2023年11月1日アクセス（https://esc.nccu.edu.tw/PageDoc/Detail?fid=7804&id=6960）
・独立行政法人日本学生支援機構「2019（令和元）年度　日本人学生留学状況調査結果」2023年11月1日アクセス（https://www.studyinjapan.go.jp/ja/_mt/2021/03/date2019n.pdf）
・日本政府観光局「台湾市場外国旅行の動向」2023年11月1日アクセス（https://www.jnto.go.jp/statistics/market-info/taiwan/）
・ほか『朝日新聞』『読売新聞』『毎日新聞』『産経新聞』縮刷版

■台湾400年の歴史

年		出来事
1604	大航海時代～ オランダ統治下	オランダが澎湖島に拠点を築くも、明により撤退。
1624		オランダ、再度明により澎湖島から撤退、台湾島へ。ゼーランディア城築城。
1626		スペイン、台湾北部へ出兵。
1630年代		このころ一連の鎖国令が出る。
1642		オランダの攻撃によってスペイン、台湾を撤退。
1644		オランダ、部族国家・大肚王国を攻撃。
1659		鄭成功、清軍に敗れる。
1661		鄭成功、澎湖島へ侵攻し、さらに台湾島へ。
1662	鄭氏統治時代	オランダ、台湾を撤退。鄭氏政権による台湾統治へ。 鄭成功死去。
1680		鄭成功の跡を継いだ鄭経が、清の三藩の乱に乗じて1673年から大陸出兵するも、敗れて撤退。
1681		鄭経死去。
1683		清軍が澎湖諸島、台湾島を攻撃。鄭氏政権が降伏。
1684		清、台湾府を設立し、台湾は福建省の統治下となる。
1721		農民の反乱、朱一貴事件起こる。
1731		先住民族が労役に対抗した反乱、大甲西社事件起こる。これにより大肚王国が消滅。

台湾４００年の歴史

1786	清朝統治時代	清による会党（秘密結社）天地会の取締から端を発する、林爽文事件発生。台湾府の長（知府）・孫景燧を殺害するに至る大規模な抗清運動となる。
1858		天津条約により安平（台南）、高雄、基隆、淡水の港を開く。
1862		会党・八卦会の取締による戴潮春の乱が発生。2年後に制圧される。
1867		アメリカの商船・ローバー号が座礁、恒春半島に上陸した乗組員をパイワン族が殺害する（ローバー号事件）。
1884		清仏戦争勃発。フランスが台湾北部を攻撃する。
1885		福建省から正式に分離され、台湾省が成立。初代巡撫（＝地方長官）に劉銘伝が就任。
1894		日清戦争勃発。
1895	日本統治時代	4月、日清戦争停戦、下関条約により清は台湾を日本へ割譲する。翌月、それに反対する住民が台湾民主国を宣言。
1896		台湾総督に立法権が与えられる六三法が制定。
1898		台湾総督府民政局長に後藤新平が就任。
1906		六三法に代わり、台湾総督の立法権に制限を加えた三一法が制定。
1908		台湾縦貫鉄道が全線開通（基隆ー高雄間）。
1911		辛亥革命起こる。
1912		中華民国成立。
1914		林献堂らによって、日本人と同等の待遇を求める台湾同化会が発足する。
1915		漢人による抗日運動、西来庵事件が起こる。

年	時代	出来事
1919	日本統治時代	世界的な民族自決の風潮から、日本の原敬首相が台湾統治に内地延長主義を持ち込む。初の文官総督・田部治郎が就任、温和な統治主義が行われる。 中国国民党設立。
1921		林献堂らが学生を集めて台湾文化協会を設立。 台湾議会設置請願運動が起こる。 三一法に変わる法三号を制定、総督の権限がより限定的となる。 中国共産党設立。
1922		台湾教育令公布。中学校以上の日本人と台湾人の共学を認め、教育の平等化が図られる。
1924		国共合作開始。
1927		台湾文化協会を離脱した林献堂らによって、台湾人による初の合法的政党・台湾民衆党が結成される。翌年には台湾共産党（日本共産党の支部）が発足。 南京で国民政府成立。
1928		台北帝国大学開校。
1930		農水施設「嘉南大圳」完成。 10月、先住民セデック族が日本人を襲撃する霧社事件が起こる（参考：映画『セデック・バレ』）。
1931		満州事変勃発（柳条湖事件）。 日本の全国中等学校優勝野球大会（夏の甲子園）で台湾の嘉義農林チームが準優勝を果たす（参考：映画『KANO 1931海の向こうの甲子園』）。

年	時代	統治者	出来事
1932			上海事変勃発。 満州国建国される。
1934			台湾議会設置請願運動が終了。
1935			台湾初の選挙が行われる。
1936			年末より、台湾の日本化をはかる皇民化運動が始まる。
1937			盧溝橋事件起こる。 日中戦争開戦。
1941			真珠湾攻撃、太平洋戦争開戦。
1942			志願兵制度開始。
1944			徴兵制開始。
1945			8月、日本敗戦。 台湾は中華民国の統治となり、台湾省行政長官公署が設立される。
1946	戒厳令時代	蒋介石	国共内戦が再発する。 中華民国憲法が制定される。
1947			二・二八事件勃発。
1948			国共内戦の激化により、反乱平定時期臨時条款を制定。 蒋介石が総統に就任。
1949			5月から、台湾省で戒厳令施行。 10月、中華人民共和国成立。 金門島で古寧頭の戦いが起こる。

年	時代	総統	出来事
	戒厳令時代	蔣介石	中華民国政府が台湾へ移る。
１９５０			朝鮮戦争勃発（〜１９５３年）。 蔣介石が再び総統に就任する。
１９５２			日華平和条約調印。 アメリカからの援助が本格化する。
１９５４			米華相互防衛条約調印。翌年から発行。 第一次台湾海峡危機（〜１９５５年）起こる。
１９５８			第二次台湾海峡危機（金門砲戦）勃発。
１９６０			ベトナム戦争開戦（〜１９７５年）。
１９６２			中ソ対立起こる。
１９６４			フランスとの国交を断絶。
１９６６			中国、文化大革命起こる。
１９７１			中国が国連で代表権を承認される。 台湾、国連脱退。 尖閣諸島の領土返還を求める保釣運動が盛り上がる。
１９７２			日中国交正常化成立。台湾は日本と断交。 中国の周恩来首相のもとをアメリカのニクソン大統領が訪問。
１９７３			蔣経国、十大建設計画を発表する。
１９７５			蔣介石死去。

年	時代	総統	出来事
1976		厳家淦	中国で（第一次）天安門事件起こる。 中国・毛沢東主席死去。
1978		蔣経国	蔣経国が総統に就任。 日中平和友好条約調印。
1979			中国がアメリカと国交を結ぶ。台湾はアメリカと断交。 アメリカ、台湾関係法を制定。 高雄でデモ隊と警官隊が衝突する美麗島事件が起こる。
1984			中国、イギリスとの中英共同声明で1997年の香港返還を決定。
1986			民主進歩党の結成。
1987	民主化時代		7月、戒厳令を解除。 中国への肉親訪問を解禁する。
1988		李登輝	1月、蔣経国死去。副総統の李登輝が代理総統となる。
1989			中国で（第二次）天安門事件起こる。
1990			大規模な学生運動としてその後の民主化に影響を与えた、野百合学生運動が起こる。
1991			対中交渉の窓口となる海峡交流基金会を設立する。 反乱平定時期臨時条款廃止。事実上、大陸反攻政策を放棄した。
1992			中国との窓口機関による事務レベル会談が行われる（92年コンセンサス）。
1995			李登輝がアメリカ・コーネル大学を訪問。 中国が台湾との会談を中止。

年	時代	総統	出来事
1996	民主化時代	李登輝	中国、台湾近海にミサイルを発射（前年からの動きを含めて、第三次台湾海峡危機と呼ばれる）。 初の直接総統選挙が行われ、国民党の李登輝が当選。
1997			中国・鄧小平死去。 7月、香港が中国に返還され、一国二制度がスタート。
1999			李登輝が中台関係を「特殊な国と国の関係」とする「二国論」を発表する。 9月、台湾中部大地震発生。
2000		陳水扁	総統選挙で民進党の陳水扁が当選。初の政権交代を果たす。
2001			世界貿易機関（WTO）に加盟。
2003			台湾全土でSARSが流行する。
2004			中国、胡錦濤政権発足。 総統選挙で民進党の陳水扁が再選。
2005			国民党と中国共産党が会談を行う。
2008		馬英九	総統選挙で国民党の馬英九が当選、政権奪取。 中台直行航空便が就航し、大陸への観光が解禁される。 前総統の陳水扁、機密費横領などの容疑で逮捕。 国民党の政策に反発する学生たちによる野いちご学生運動が起こる。
2009			八・八水害で過去最大の台風被害を受ける。
2010			中国との間で中台経済協力枠組協議（ECFA）が締結される。
2012			馬英九、総統再選。

２０１３			中国で前年総書記に就任した習近平が国家主席に。
２０１４			中台サービス貿易協定に反感を持った学生たちを中心に、ひまわり学生運動が起こる。 香港で雨傘運動が起こる。 11月の統一地方選挙で国民党が惨敗を喫する。
２０１５			馬英九と習近平がシンガポールで会談（中台の指導者会談は初めて）。
２０１６		蔡英文	総統選挙で民進党の蔡英文が当選。立法院でも民進党が過半数を獲得する。
２０１８			統一地方選挙で民進党が敗北。
２０１９			アジア初の同性結婚合法化。 香港民主化デモが起こる（～２０２０年）。
２０２０			新型コロナウイルス、世界的に感染拡大。 蔡英文、総統選挙で再選される。
２０２１			環太平洋パートナーシップ（ＴＰＰ）協定参加を申請。
２０２２			統一地方選挙で民進党敗れる。

野嶋 剛（のじまつよし）

1968年生まれ。上智大学文学部新聞学科卒業。大学在学中に香港中文大学・台湾師範大学に留学。'92年に朝日新聞社入社後、中国・厦門（アモイ）大学留学、シンガポール支局長、政治部、台北支局長、国際編集部次長、AERA編集部などを経て、2016年に独立。現在はジャーナリスト活動と並行して、大東文化大学社会学部教授も務める。著書に『ふたつの故宮博物院』（新潮選書）、『認識・TAIWAN・電影　映画で知る台湾』（明石書店）、『蔣介石を救った帝国軍人』『日本の台湾人』（以上、ちくま文庫）、『台湾とは何か』『香港とは何か』（以上、ちくま新書）、『新中国論』（平凡社新書）など多数。その多くが中国、台湾で翻訳刊行されている。

台湾の本音

〝隣国〟を基礎から理解する

2023年12月30日初版1刷発行
2024年4月10日　2刷発行

著　者 ── 野嶋 剛
発行者 ── 三宅貴久
装　幀 ── アラン・チャン
印刷所 ── 萩原印刷
製本所 ── 国宝社
発行所 ── 株式会社光文社
東京都文京区音羽1-16-6（〒112-8011）
https://www.kobunsha.com/
電　話 ── 編集部03（5395）8289　書籍販売部03（5395）8116
制作部03（5395）8125
メール ── sinsyo@kobunsha.com

R ＜日本複製権センター委託出版物＞
本書の無断複写複製（コピー）は著作権法上での例外を除き禁じられています。本書をコピーされる場合は、そのつど事前に、日本複製権センター（☎03-6809-1281、e-mail : jrrc_info@jrrc.or.jp）の許諾を得てください。

本書の電子化は私的使用に限り、著作権法上認められています。ただし代行業者等の第三者による電子データ化及び電子書籍化は、いかなる場合も認められておりません。

落丁本・乱丁本は制作部へご連絡くだされば、お取替えいたします。
© Tsuyoshi Nojima 2023 Printed in Japan ISBN 978-4-334-10170-1

光文社新書

1275
朝、起きられない病
起立性調節障害と栄養の関係
今西康次

「だるさや頭痛、吐き気で起きられない」…中高生の1割が悩む起立性調節障害を栄養の観点から治療・改善させている医師が、発達に必要な栄養や周囲の対応について症例を交え解説。

978-4-334-10069-8

1276
人事変革ストーリー
個と組織「共進化」の時代
髙倉千春

個が活きる組織とは――。複数の外資企業や日本企業で戦略人事や人事制度改革に取り組んできた人事のプロフェッショナルが、これからの日本企業に求められる「新たな知恵」を示す。

978-4-334-10088-9

1277
愛とラブソングの哲学
源河亨

この世はなぜラブソングであふれている⁉ 共感できるから？ 愛が普遍的だから？ 生物学・脳科学・歴史学・社会学など様々な学問を駆使して、哲学研究者が問いの答えに迫る。

978-4-334-10089-6

1278
ワクチンを学び直す
岩田健太郎

効果、安全性、種類、活用法――最新の動きに加え、予防接種制度や海外のワクチンも含めたワクチン接種の全体像を、感染症の専門家が分かりやすく解説。今こそ、正しい知識を！

978-4-334-10090-2

1279
日本企業はなぜ「強み」を捨てるのか
増補改訂版『日本〝式〟経営の逆襲』
岩尾俊兵

「カネよりヒト」のスタイルこそ日本企業の強みだったが、自らその姿勢を手放してしまったのはなぜか。東大初の経営学博士号を取得した気鋭の経営学者が説く、日本経済復活への道。

978-4-334-10091-9

1280
新説 徳川家康
後半生の戦略と決断

野村玄

秀吉の没後、豊臣家と豊臣恩顧の大名たちからの制約の中で家康はどのように政治的な手腕を発揮し、幕府の礎を築いていったのか。一次史料から家康の真の偉大さに迫る。

978-4-334-10131-2

1281
発達障害児を育てるということ

柴田哲　柴田コウ

父は発達心理学を研究する大学教授。母は公認心理師。発達の専門家夫妻が軽度自閉症児の息子と送る日々を、保護者視点と研究者視点を行き来しながら綴った「学術的子育てエッセイ」。

978-4-334-10132-9

1282
教養としてのパンク・ロック

川﨑大助

「パンク」の語源は？　誰が「パンク・ロック」と名付けたのか？なぜ髪を逆立てるのか？　なぜトゲトゲの付いた革ジャンを着るのか？　パンクの発想・哲学を名盤105枚とともに解説。

978-4-334-10153-4

1283
犯罪へ至る心理
エティエンヌ・ド・グレーフの思想と人生

梅澤礼

どのようにして人は犯罪に手を染めることになるのか。誰もが罪を犯しうるとしながら、それでも防ぐ方法を模索し続けた、20世紀ベルギーの精神科医・犯罪学者・作家の歩みを丁寧に辿る。

978-4-334-10134-3

1284
だからタイはおもしろい
暮らしてわかったタイ人の「素の顔」

髙田胤臣

経済格差、階級社会、利己主義……。微笑みの裏側には色々あっても、したたかに、サバーイ（気楽）に生きる。ともに暮らしてはじめてわかる、タイ社会とタイ人の本質とは。

978-4-334-10135-0

光文社新書

1285

毒母は連鎖する
子どもを「所有物扱い」する母親たち

旦木瑞穂

理不尽な仕打ち、教育虐待、ネグレクト……。子どもを自らの所有物のように扱い、負の影響を与える毒親。その中でもとりわけ母親から娘へと伝染する「毒」に8人の取材から迫る。

978-4-334-10169-5

1286

京大合格高校盛衰史
天才たちは「西」を目指した

小林哲夫

京大の「自負」と高校の「執念」。自由の校風と最先端研究を目指して繰り広げられた京大受験の歴史を、一九四九年以降の合格者数ランキングから徹底分析。東大ではダメなんだ！

978-4-334-10133-6

1287

台湾の本音
〝隣国〟を基礎から理解する

野嶋　剛

首都はどこ？　親日である理由は？　中国とはどういう関係？　日本で関心が高まるわりに、実情はよく知られていない台湾。そんな〝隣国〟の姿を6つの問いから詳らかにする。

978-4-334-10170-1

1288

白内障の罠
一生「よく見る」ための予防と治療

深作秀春

後悔しないために…日常生活や栄養面での留意点、手術法の歴史や最新治療について、世界的眼科外科医が徹底解説&警告！プロの画家でもある著者が「見るとは何か」から教えます。

978-4-334-10171-8

1289

ボロい東京

三浦　展

錆、苔、扉、管、看板、郵便受け……。ボロいのに、いや、ボロいからこそ美しい。ありふれたようで失われつつあるボロい風景の数々を、十数年撮りためたスナップから厳選した写真集。

978-4-334-10172-5